Fabio Caon
con Michela Giovannini *e* Claudia Meneghetti

L'ITALIANO A GESTI

Attività per lo sviluppo della comunicazione non verbale

A1-C1

Bonacci editore

LŒSCHER EDITORE

http://www.loescher.it

Ristampe

6	5	4	3	2	1	N
2023	2022	2021	2020	2019	2018	

ISBN 9788820138325

Nonostante la passione e la competenza delle persone coinvolte nella realizzazione di quest'opera, è possibile che in essa siano riscontrabili errori o imprecisioni. Ce ne scusiamo fin d'ora con i lettori e ringraziamo coloro che, contribuendo al miglioramento dell'opera stessa, vorranno segnalarceli al seguente indirizzo:

Bonacci Editore
di Loescher Editore
Via Vittorio Amedeo II, 18
10121 Torino
Fax 011 5654200
clienti@loescher.it

Loescher Editore Divisione di Zanichelli Editore S.p.A. opera con sistema qualità certificato KIWA-CERMET n. 11469-A secondo la norma UNI EN ISO 9001-2008

Coordinamento editoriale: Chiara Romerio
Redazione: Edizioni La Linea, Bologna
Progetto grafico e impaginazione: Angela Ragni
Ricerca iconografica: Giorgio Evangelisti
Disegni: Riz - Rino Zanchetta
Rilettura: Giovanna Lombardo
Copertina: Emanuela Mazzucchetti - LeftLoft, Milano/New York
Fotolito: Walter Bassani
Stampa: Vincenzo Bona S.p.A.
Strada Settimo, 370/30
10156 Torino

Referenze fotografiche:

p.7:Keystone/Hulton Archive/Getty Images;p.8 (foto 1): www.socialup.it;(foto 2): © A.Haritonen Shutterstock.com, 2017;(foto 3): © Studio Intra/Shutterstock.com, 2014;(foto 4):© Art_Photo/ Shutterstock.com, 2017;(foto 5): www.pounamutravel.com,(foto 6): www.gentlemansgazette. com;(foto 7): © A.Jankovoy/Shutterstock.com, 2017;p.9: © g-stockstudio/Shutterstock.com, 2016;p.16 (d): © shurkin_son/Shutterstock.com, 2017;(ca):© SeventyFour/Shutterstock.com, 2017;(cb): © I.Filimonov/Shutterstock.com, 2017;(da):© Yzoa/Shutterstock.com, 2017;(db): www.nytimes.com;p.20: © H. Neleman/Gettyimages, 2017;p.24 (alto da sx): © Asier Romero/ Shutterstock.com,2017; © www.tripsavvy.com; © Komar/Shutterstock.com, 2017; © D.M.Ernst Shutterstock.com, 2017;(centro da sx): © Getty Images; © Ocskay Vence/Shutterstock. com, 2013; www.charterworld.com; L.Cavaleri, 2011;p.29: Dear Film Produzione, R.P.A., Les Films du Siècle, 1965/www.cinematografo.it;p.31: (as): © baranq/Shuterstock.com, 2017;(ac): © P.Bona/Shutterstock.com, 2017;(ad): © StockLite/Shutterstock.com, 2017;(cs): © I.Sinkov/ Shutterstock.com, 2017;(cd): L.Alvarez/Getty Images;(b e p.32 centro): Columbia Pictures, Plan B Entertainment, Red Om Films, Syzygy Productions/Sony Pictures, 2010;p.32 (ad): ricette. donnamoderna.com;p.33: Wikipedia Pubblico Dominio;p.36: www.nonsprecare.it;p.37 (cs): © F.Boston/Shutterstock.com, 2017;(cd): © G.Bogicevic/Shutterstock.com, 2017;p.41 (foto 1): © Cultura Motion/Shutterstock.com, 2017; (foto 2): © AFPics/Shutterstock.com, 2017; (foto 3): © : bbtreesubmission/123rf, 2017;(foto 4): © Wasant/Shutterstock.com, 2017;(foto 5): © Shinar Shutterstock.com, 2017;p.44 (foto 1): © A.Gaas/Shutterstock.com, 2017; (foto 2): © cate_89/ Shutterstock.com, 2017; (foto 3): © Yang Yu/123rf, 2017;p.45: www.vinicartasegna.it;p.46 (cs): www.middlebury.edu;(bd): formazione.uniroma3.it/I.Poggi;p.47 (as): www.ebay.com;(ad): it.in-mind.org/A.Faina;(bd): © FARBAI/Shutterstock.com, 2017;p.49: (as):© IStock/Thinkstock.com, 2013;(ad): © MilsiArt/Shutterstock.com, 2016; (cs): © Alexander Cher/Shutterstock.com, 2016;(© E.Isselee/Shutterstock.com, 2014;(bs): © O.Lytvynenko/Shutterstock.com, 2017;p.50: © P.We Shutterstock.com, 2017;p.52: Riama Film (Roma), Pathé Consortium Cinéma/Cineriz, 1960;p.52 © Photobank gallery/Shutterstock.com, 2016;(cs e cd): © FashionStock.com/Shutterstock. com, 2017; (cc): www.frame-store.com; (bs): Pinterest;(bd): G.Sgura/Dolce&Gabbana/www. eventiculturalimagazine.wordpress.com;p.54 (as): © EHStockphoto/Shutterstock.com, 2017;(ac © F. Craciun/Shutterstock.com, 2017;(cc): lacithedog.wordpress.com;(bs): © Shevs/Shutterstoc com, 2017;(bd): © sanneberg/Shutterstock.com, 2017;p.55 (bs): www.ilblogdelmarchese.com/ Galleria del Costume, Palazzo Pitti, Firenze;(bd): viaggimarilore.wordpress.com/Galleria del Costume, Palazzo Pitti, Firenze;p.56: © © View Apart/Shutterstock.com, 2016;p.57: © bbernar Shutterstock.com, 2017;p.58 (as): © Iordani/Shutterstock.com, 2013; (cd): © Karramba Product Shutterstock.com, 2017; (bs): © I.Filimonov/Shutterstock.com, 2017;p.59: www.debenhams. com;p.60 (foto 1): www.theplace2.ru;(foto 2): pourfemme.it;(foto 3): Dior/www.vogue.es;(foto www.nanopress.it;(foto 5): www.thefashionisto.com;(foto 6): Jean-Baptiste Mondino, 2001;p.6 (da sx): © ATIKAN PORNCHAIPRASIT/Shutterstock.com, 2017; © safakcakir/Shutterstock.com, 2017; © kzww/Shutterstock.com, 2017; © K.Kamenetskiy/Shutterstock.com, 2017;p.66: Fratelli Rossetti/www.moda-para-ellas.com;p.67 (cc): © N.Bachkova/Shutterstock.com, 2017;(bd): tw.mensuno.asia;p.70 (foto a): © Wasana Jaigunta/123rf;(foto b): © V.Proskurina/Shutterstock. com, 2017; (foto c): © DreamLand Media/Shutterstock.com, 2017;(foto d) © E.Isselee/ Shutterstock.com, 2017; (foto e): © Mathisa/Shutterstock.com, 2017;(foto f): © I.Astakhova/ Shutterstock.com, 2017;(foto g): © Photos.com, 2011;(foto h): © J.HongYan/Shutterstock.com, 2014;p.72: © J.Seer/Shutterstock.com, 2017;p.73: © John Springer Collection/CORBIS/Corbis via Getty Images;p.74 (ac): © leungchopan/Shutterstock.com, 2015;(cs): © Blend Images/ Shutterstock.com, 2017;(cd): © stockimages/Shutterstock.com, 2013;p.75: alto da sx): L.Cosen & A.Servello/Kinoweb.it; www.tgcom24.mediaset.it; www.woolcan.net; www.hawtcelebs.con www.bild.de:p.76 (cs): © Andresr/Shutterstock.com, 2017; (cd): © D.Muzzarini 2015;p.77 (cd): © ESB Professional/Shutterstock.com, 2017;p.78 (foto 1): ufficio stampa Cirio Conserveltalia; (fot 2): FCA/www.ischiablog.it; (foto 3): Dolce e Gabbana, 2012; (foto 4): Agos/Mercurio Cinema;p.8 (bs): © ESB Professional/Shutterstock.com, 2017; (bd): Barilla/amazon.it;p.83 (cc): © cooperr/ Shutterstock.com, 2017;(cd): © O.Kostiuchenko/Shutterstock.com, 2017; (foto 1): KOREA-FANS persiincorea.com; (foto 2): © Robcartorres/Shutterstock.com, 2017; (foto 3): Amy Kolb Noyes/ VPR;p.86: © corund/Shutterstock.com, 2017;p.87 (bs): Medusa Film, 2010; (bd): Medusa Film, 2012;p.90 (as): © Westend61 Premium/Shutterstock.com, 2015;(ac): © mimagephotography/ Shutterstock.com, 2014; (ad): © kurhan/Shutterstock.com, 2017; (cc): © A.Zornetta/Shutterstc com, 2015; (bd): © RAEVSKY/Shutterstock.com, 2016;p.95: Paramount Pictures, 1953;p.97 (as): F.Rostagno 123rf, 2017;(ac): Woudloper, 2007/Wikipedia Pubblico Dominio;(ad): dalessandroeg com;p.100 (as): TCI;(ac): © O.Popova/Shutterstock.com, 2016; (ad): © NicoElNino/Shutterstock com, 2017;(cc): www.tattoopinners.com;p.104 (as): © Wessel du Plooy/Shutterstock.com, 2016;(ac): © D.Cervo/Shutterstock.com, 2012;(ad): © COLOMBO NICOLA/Shutterstock.com, 2C (cs): www.ilgiornalelocale.it;(cc): © S.Mironov/Shutterstock, 2017;(cd): www.mrcheapflights. com;p.105: www.ilpescara.it;p.106: Mario Cecchi Gori per Fair Film, INCEI Film, Sancro Film, 1962;p.107: www.photographers.it;p.108 (ad): © P.Jevtic/Shutterstock.com, 2017;(cd): © B.Mart Shutterstock.com, 2017;(bd): Olycom, 2015/www.panorama.it;p.110 (as): G.Robertson/Getty Images;(ac): © Hadrian/Shutterstock.com, 2017;(ad): www.morninganswerchicago.com;p.113: © R.Lesniewski/Sutterstock.com, 2017;p.114 (dall'alto): © VVO/Shutterstock.com, 2017: linvitatospeciale.it; © A.Masnovo/Shutterstock.com, 2017; © wjarek/Shutterstock.com, 2017; (cs e cd): © A.Rotenberg/Shutterstock.com, 2017; (bs): © kavalenkava/Shutterstock.com, 2017 (cd): © Maridav/Shutterstock.com, 2017;p.117 (as): © NakoPhotography/Shutterstock.com, 2017;(ac): © Monkey Business Images/Shutterstock.com, 2013;(ad): © E.Marongiu/Shutterstoc com, 2017;(cs): © Kinga/Shutterstock.com, 2017;(cc): © © Monkey Business Images/Shutterst com, 2015;(cd): © Monkey Business Images/Shutterstock.com, 2017;(bs): © P.Mayall, 2008; (b www.cislbrescia.it;(bd): © I.Filimonov/Shutterstock.com, 2017;p.125 (as): ©2010 Photos.com;(© A.Gorulko/Shutterstock.com, 2017;(ad): © Ianych/Shutterstock.com, 2016;(cs): © photocell/Shutterstock.com, 2017;(cc): © wanphen chawarung/Shutterstock.com, 2017;(cc © Kekyalyaynen/Shutterstock.com, 2013;(bs): © Robcartorres/Shutterstock.com, 2017; (bc): © valzan/Shutterstock.com, 2017;(bd): © Jag_cz/Shutterstock.com, 2016

Presentazione

Recita un celebre detto anglosassone: "Come fate a far tacere un italiano? Legategli le mani!"

In queste parole vi è lo spirito del libro: approfondire lo studio della gestualità, una dimensione che caratterizza fortemente la cultura e il modo di comunicare degli italiani.

Come forse sarà capitato anche a voi di verificare, la gestualità italiana rischia di non essere capita o, quel che forse è peggio, di essere fraintesa da persone di altre nazionalità, producendo veri e propri equivoci interculturali di comunicazione. I **gesti** rappresentano un **linguaggio specifico** e culturalmente connotato che, come tale, ha **necessità** di **essere insegnato** e **appreso.** Un'esigenza, questa, che è spesso trascurata nei manuali di italiano e che non è sufficientemente messa in luce dal Quadro Comune Europeo. L'obiettivo dell'*Italiano a gesti* è dunque quello di colmare tale doppia lacuna, fornendo percorsi tematici che, in maniera autonoma o in aggiunta al manuale di italiano, invitino allo studio di tale linguaggio.

Proprio per far emergere la specificità di una forma di comunicazione senza parole e per renderne più semplice l'analisi, la dimensione gestuale è trattata in **prospettiva interculturale** ed è presentata all'interno della più ampia cornice della comunicazione non verbale.

Il volume si suddivide in cinque capitoli tematici, ciascuno dei quali è composto da cinque unità di livello, dall'A1 al C1. Le unità sono scandite nelle fasi di globalità, analisi e sintesi, e fanno uso di un'**ampia gamma di materiali** (semplificati, autentici, testuali, iconici ecc.) e dell'ausilio dell'**ampio repertorio di video dei gesti italiani** realizzato all'interno del medesimo progetto editoriale.

Le attività proposte sono particolarmente varie, anche per adeguarsi ai diversi stili di apprendimento, e sollecitano tanto le **abilità di produzione e ricezione**, quanto quella di **dialogo.** Un chiaro sistema di icone dà indicazioni circa modi e risorse delle attività (vedi legenda sotto). Al fine di focalizzare l'attenzione sulla densità culturale della dimensione non verbale, cioè su tutte le variabili della comunicazione che vi rientrano (dalla postura al tono della voce, dalla gestualità alla prossemica), si è scelto di non estendere eccessivamente il numero dei gesti presentati in ciascuna unità.
A chiusura del percorso, nella rubrica *Lo sai che...*, le unità forniscono sempre un'informazione o una semplice curiosità circa aspetti, anche insoliti, della cultura italiana.

Nell'**appendice** sono riuniti i materiali che servono per la realizzazione dei giochi e che offrono una versione parallela di alcune attività, relative in particolare ai livelli A1 e A2, per rendere accessibili tali unità anche a studenti debolmente scolarizzati.

Il progetto editoriale, oltre al volume e al repertorio dei video dei gesti italiani, si estende alla proposta di conferenze, seminari, webinar e corsi per docenti e studenti di italiano come L2 in Italia e come LS nel mondo; le informazioni al riguardo si possono trovare sul sito www.bonaccieditore.it.

Buon lavoro,
gli Autori

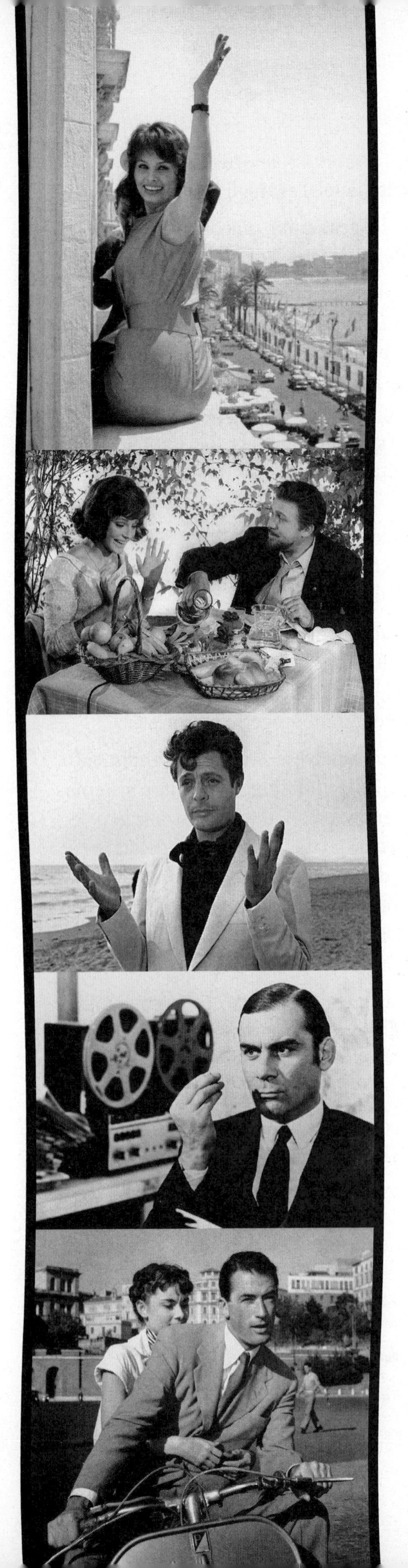

Indice

REPERTORIO DEI VIDEO DEI GESTI ITALIANI

Il repertorio è accessibile nell'area web del volume (www.imparosulweb.eu).
I video citati in questo libro sono evidenziati in grassetto.

FUNZIONE PERSONALE

Augurare fortuna (1)
Augurare fortuna (2)
Avere caldo
Avere dolore di pancia
Avere fame (1)
Avere fame (2)
Avere freddo
Avere paura
Avere sonno
Avere un'idea
Cercare di ricordarsi una parola
Contraddire quello che si sta dicendo
Dare la parola d'onore
Dimenticarsi qualcosa
Dimostrare apprezzamento (1)
Dimostrare apprezzamento (2)
Dimostrare apprezzamento (3)
Dimostrare perplessità
Disinteressarsi
Esprimere apprezzamento fisico
Esprimere approvazione (1)
Esprimere approvazione (2)
Esprimere bontà
Esprimere desiderio
Esprimere disgusto

Esprimere disinteresse
Esprimere impossibilità
Esprimere indifferenza (1)
Esprimere indifferenza (2)
Esprimere la noia
Esprimere pesantezza (1)
Esprimere pesantezza (2)
Esprimere sazietà
Esprimere soddisfazione (1)
Esprimere soddisfazione (2)
Esprimere soddisfazione (3)
Esprimere soddisfazione (4)
Esprimere stupore
Evitare la sfortuna (1)
Evitare la sfortuna (2)
Fare una cosa imprevista
Giurare
Non sopportare (1)
Non sopportare (2)
Provare contentezza
Provare fatica
Provare impazienza
Provare rabbia
Simboleggiare
il denaro

FUNZIONE INTERPERSONALE

Affermare che qualcosa è concluso

Chiedere di mangiare qualcosa
Controllare una persona
Dare del cornuto
Dimostrare affetto (1)
Dimostrare affetto (2)
Dimostrare furbizia
Dimostrare obbedienza
Esprimere complicità (1)
Esprimere complicità (2)
Esprimere contrarietà (1)
Esprimere contrarietà (2)
Esprimere disapprovazione (1)
Esprimere disapprovazione (2)
Esprimere il valore di una persona
Esprimere intesa (1)

Esprimere intesa (2)

Esprimere la fortuna
Esprimere snobismo

Fare uno sberleffo (1)
Fare uno sberleffo (2)
Insistere
Invitare a bere
Invitare a bere un caffè
Invitare a mangiare
spaghetti
Mandare un sms
Manifestare confidenza
Portare sfortuna
Richiamare l'attenzione (1)
Richiamare l'attenzione (2)
Riferire sulla pazzia (1)
Riferire sulla pazzia (2)
Riferire sulla pazzia (3)

Rifiutare (1)
Rifiutare (2)
Salutare (1)
Salutare (2)
Salutare (3)
Salutare (4)
Salutare (5)
Salutare (6)

Salutare (7)
Scherzare con i bambini
Sgridare affettuosamente
Socializzare un'informazione
Telefonare (1)
Telefonare (2)
Volere un rapporto sessuale

FUNZIONE REFERENZIALE

Approfittarsene
Approvare (1)
Approvare (2)
Approvare (3)
Avere difficoltà
Contare
Dispiacersi per un comportamento ingenuo
Esprimere abilità/furbizia
Esprimere complicità (1)
Esprimere complicità (2)
Esprimere contrasto
Esprimere furbizia
Esprimere i concetti di "ieri", "tempo fa"
Esprimere il concetto di "domani"
Esprimere il concetto di "dopodomani"
Esprimere il concetto di "tra molto tempo"
Esprimere impossibilità
Esprimere insuccesso (1)
Esprimere insuccesso (2)
Esprimere l'idea di affollamento
Esprimere ottusità/mancanza di intelligenza
Esprimere perplessità (1)
Esprimere perplessità (2)
Esprimere una forte delusione
Finire qualcosa
Ignorare
Indicare una persona logorroica
Ingannare
Lasciar perdere un argomento
Manifestare una vittoria
Manifestare una vittoria sull'altro
Negare (1)
Negare (2)
Negare in modo assoluto
Non sopportare più
Riferire sull'omosessualità
Riferire sull'ubriachezza
Riferire sulla grassezza
Riferire sulla magrezza
Rifiutare
Rubare
Scomparire improvvisamente
Sospettare
Svelare una bugia
Trattare di soldi
Valutare (1)
Valutare (2)

FUNZIONE REGOLATIVA

Chiedere di attendere
Chiedere di chiudere
Chiedere di fermarsi
Chiedere di ripetere
Chiedere di ripetere quanto detto
Chiedere di scrivere
Chiedere il conto
Chiedere maggiore rapidità (1)
Chiedere maggiore rapidità (2)
Chiedere qualcosa
Chiedere spiegazioni
Chiedere tempo per pensare
Chiedere una sintesi (1)
Chiedere una sintesi (2)

Chiedere una sintesi (3)
Chiudere il discorso
Chiudere la comunicazione
Esprimere il senso di insopportabilità
Invitare ad andarsene
Minacciare
Minacciare/Consigliare
Provare esasperazione
Richiamare a sé
Richiamare l'attenzione
Richiedere silenzio
Sfidare a ripetere quanto detto
Tranquillizzare

1 Quanti saluti!

I saluti informali e formali

1 **Gli italiani salutano così! Fate le attività.**

a **Quali sono i saluti tipici italiani? Dividete i saluti italiani da quelli che si usano in altri Paesi.**

b **Conoscete altri saluti italiani? Quali?**

c **Distinguete i saluti formali e informali (√).**

baciamano

formale ☐ informale ☐

stretta di mano

formale ☐ informale ☐

togliersi il cappello

formale ☐ informale ☐

pacca sulla spalla

formale ☐ informale ☐

baci sulla guancia

formale ☐ informale ☐

bacio da lontano

formale ☐ informale ☐

2 In Italia quali saluti usano gli uomini e le donne? Indicatelo nella tabella (√).

Come salutare?	uomo saluta uomo	donna saluta donna	uomo saluta donna	donna saluta uomo
a. baciamano	☐	☐	☐	☐
b. stretta di mano	☐	☐	☐	☐
c. togliersi il cappello	☐	☐	☐	☐
d. pacca sulla spalla	☐	☐	☐	☐
e. baci sulla guancia	☐	☐	☐	☐
f. bacio da lontano	☐	☐	☐	☐

3 **Formale o informale? Fate le attività.**

a **Guardate la foto: è una situazione formale o informale? Perché? Poi completate la frase (√).**

Usi questo gesto...

quando arrivi. ☐

quando vai via. ☐

b **Quando usate il gesto che avete visto sopra, che cosa dite... (√)**

... quando arrivate?

Buongiorno! ☐ Ciao! ☐

Buonanotte! ☐ Ehi, ciao! ☐

... quando andate via?

Buongiorno! ☐ Salve! ☐

Ciao ciao! ☐ A presto! ☐

4 Che cosa dite quando...? Completate i fumetti, come nell'esempio, e verificate guardando i video 1, 2 e 3.

... quando arrivate

Es.

... quando andate via

a

b

c

d

e

f

5 **Quale gesto usi nel tuo Paese quando...? Fate le attività.**

a **Fate una foto dei gesti del vostro compagno.**

- Che gesto fai quando arrivi?
- Che gesto fai quando vai via?
- Che gesto fai quando saluti un uomo?
- Che gesto fai quando saluti una donna?

b **Confrontate le foto e preparate il cartellone dei gesti della classe.**

6 **E ora si gioca! Fate le attività.**

a **Prendete il cartellino che vi dà l'insegnante, immaginate la situazione e rispondete alle domande.**

MATERIALE A P. 117

- Quale gesto usate?
- Che cosa dite?

b **Avete cinque minuti: preparate due dialoghi usando le situazioni indicate dai vostri cartellini. Poi recitate i vostri dialoghi davanti ai compagni.**

c **In coppie, ascoltate il dialogo dei compagni e rispondete alle domande. Vince la coppia che dà più risposte corrette.**

- Chi sono?
- Dove sono?
- È una situazione formale o informale?

Lo sai che...

Quando sono certe (o sperano) di rivedersi, due persone usano **arrivederci!** Quando non hanno confidenza con l'altro, si salutano con la forma più cortese **arrivederLa!**

Salutarsi: in Italia si fa così

1 **Guardate le immagini e fate le attività.**

1 

2 

3 

a **Gli italiani usano questi gesti per... (✓)**

salutarsi. ☐
congedarsi. ☐
rifiutare. ☐

b **Avete mai visto un italiano fare questi gesti? Dove? Quando? Raccontate in poche parole l'episodio.**

2 **Collegate i gesti ai testi.**

a 

b 

c 

1. È affettuoso. Il numero di baci può variare: il primo è sempre verso destra.
2. È molto amichevole e informale. Può essere frainteso perché c'è contatto fisico.
3. Si usa per un congedo (di solito) di breve durata; è informale e generalmente muto.
4. Di solito è muto, rivolto a una donna e molto formale.
5. Si usa soprattutto in contesti formali.
6. 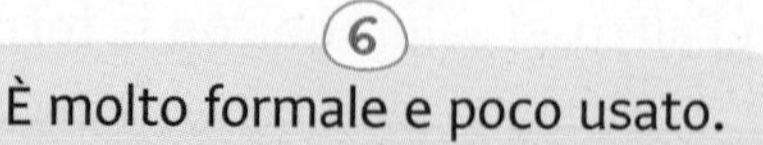
È molto formale e poco usato.

d 

e 

f 

3 Leggi il testo.

TESTO SEMPLIFICATO A P. 118

Salutarsi in italiano

Nel linguaggio informale, **ciao** si usa all'inizio e alla fine di un incontro fra persone che si danno del "tu": è amichevole e facile da pronunciare con un sorriso. È usato anche in contesti più formali: in un negozio, la commessa può dire **ciao, dimmi** a un cliente che non conosce e al ristorante si può dire **ciao** a un giovane cameriere.

Ciao ciao è un saluto che si usa per congedarsi in modo ancora meno formale. Anche **ciao ciao ciao** è un saluto molto diffuso.

Buongiorno e **buonasera** si usano come saluti sia d'incontro sia di congedo. **Buongiorno** si usa al mattino. Il passaggio da **buongiorno** a **buonasera** varia a seconda della Regione: in Toscana, ci si saluta con **buonasera** già dal primo pomeriggio; in Sardegna, si dice **buonasera** dopo pranzo, indipendentemente dall'ora a cui si mangia.

Buondì ha lo stesso significato di **buongiorno**, ma di solito si usa quando c'è più confidenza tra persone.

Per congedarsi si usano spesso anche **buona giornata** e **buona serata**.

Salve è un saluto neutro: si usa quando non si è sicuri del registro da usare (formale o informale) al momento dell'incontro con un'altra persona.

Buonanotte è usato la sera tardi o prima di andare a letto.

Addio non è un saluto molto frequente: è usato solamente prima di una separazione definitiva. Tuttavia, in Toscana, soprattutto tra persone anziane, è usato al posto di **arrivederci**.

Arrivederci è una formula di saluto conclusiva e formale (ma meno formale di **arrivederLa**). Può essere seguita da **a presto**, per esprimere il desiderio di rivedersi; formule simili sono: **ci vediamo, ci sentiamo, a risentirci**.

repubblica.it

4 Scrivete accanto a ogni gesto tutti i saluti del testo precedente che si possono usare.

a ....
....
....
....

d ....
....
....
....

b ....
....
....
....

e ....
....
....
....

c ....
....
....
....

f ....
....
....
....

5 **E ora si gioca! Formate due squadre e decidete se le frasi sono vere (V) o false (F). Vince la squadra che dà più risposte corrette, in caso di pareggio vince chi finisce prima.**

Sei un italiano "vero"?

a. *Buonasera* e *buona serata* si usano allo stesso modo. V F

b. Con questo gesto non si parla. V F

c. Quando si danno due baci sulle guance, si bacia prima la sinistra. V F

d. Il baciamano esprime l'amicizia tra due persone. V F

e. Si può dire due o tre volte *ciao* quando si va via. V F

f. Questo gesto si usa nei rapporti formali, in particolare in quelli lavorativi. V F

g. Togliersi il cappello per salutare è un gesto poco usato. V F

h. Questo gesto può creare problemi tra persone che si conoscono poco. V F

i. *Arrivederci* e *arrivederLa* sono saluti formali. V F

l. In una situazione molto informale è possibile dire *salve*. V F

6 E nel vostro Paese? Fate le attività.

a **Rispondete alle domande.**

- Quali saluti si usano quando si arriva?
- Quali saluti si usano quando si va via?
- Quali gesti associate ai saluti?
- Quali gesti sono informali? Quali, invece, sono formali?
- Di solito c'è contatto fisico quando si saluta?
- Si possono usare oggetti per salutare, come ad esempio il cappello in Italia? Se sì, quali?

b **Quali differenze e quali somiglianze ci sono tra i vostri Paesi e l'Italia? Scrivete almeno tre differenze e due somiglianze.**

DIFFERENZE

1. ....

....

2. ....

....

3. ....

....

SOMIGLIANZE

1. ....

....

2. ....

....

c **Confrontate la vostra lista con quelle dei compagni.**

Lo sai che...

Salve è un saluto molto usato, viene dalla lingua latina e significa "salute a te". Tra tutti i saluti è l'unico a essere di registro neutro (va bene sia come saluto formale sia come saluto informale); per questo, a volte, può non piacere e sembrare un po' troppo "freddo".

Il *bon ton* dei baci

1 Il bacio per salutare. Fate le attività.

a **Quali tra i baci che vedete si possono usare in Italia per salutare? Motivate le vostre risposte.**

b **Confrontate le vostre risposte con quelle dei compagni.**

c **E voi, come vi comportate quando salutate? Rispondete alle domande, individuate gli eventuali punti in comune e raccontateli alla classe.**

- Baciate per salutare?
- Quando date dei baci?
- A chi li date? A chi non li date? Perché?
- Ci sono dei baci tra quelli sopra che vi imbarazzano? Perché?

2 Quali baci, quali regole? Fate le attività.

a **Secondo te, in Italia, che cosa si può fare (✓) e che cosa non si può fare (✗) per salutarsi?**

a. Dare un bacio energico sulla guancia. ☐
b. Dare un bacio senza contatto sulle guance. ☐
c. Mandare un bacio con il soffio. ☐
d. Dare un solo bacio a una persona che conosci poco. ☐
e. Dare un bacio a una persona che non conosci. ☐

b **Confronta le tue risposte con quelle dei compagni, spiegando il motivo delle tue scelte.**

3 Leggi il testo e verifica le risposte che hai dato.

Salutare con un bacio in Italia

1. Baciare solo persone con cui si è in confidenza.
2. Quando si danno due baci, iniziare da destra.
3. Dare un solo bacio esclusivamente in contesti informali: è un gesto riservato alle persone intime.
4. Mandare un bacio con il soffio è un gesto molto elegante che dimostra affetto o amicizia.
5. Dare un bacio su entrambe le guance è ammesso non solo tra vecchi amici, ma anche al primo incontro con una persona.

1. Tra donne, in contesti informali, baciare senza contatto delle labbra sulle guance risulta snob.
2. Fare il baciamano senza conoscere le regole (p. 19).
3. Dare un bacio facendo rumore con lo schiocco delle labbra sulle guance.
4. Dare un bacio energico sulle guance e contemporaneamente abbracciare in modo affettuoso una persona appena conosciuta.
5. Dare un bacio al proprio capo al primo incontro: è indice di mancanza di professionalità e di rispetto.

PER NON COMMETTERE ERRORI !

1. In caso di dubbio, stringi la mano.
2. Se non sei sicuro di come salutare, guardati intorno e fai come gli altri.
3. Mantieni il senso dell'umorismo: anche se un saluto va male, non è la fine del mondo.

4 **E nel tuo Paese? Fai le attività.**

a **Scrivi le regole da seguire nel tuo Paese per salutare (baci, distanza, contatto fisico ecc.) e indica tre cose che si possono fare e tre che non si possono fare. Dai anche qualche consiglio pratico per non commettere errori.**

👍	👎
....	....
....	....
....	....

PER NON COMMETTERE ERRORI !

....

....

....

b **Leggete ai compagni quello che avete scritto e confrontatevi sulle regole dei vostri Paesi.**

5 **Alla scoperta di nuove usanze! Fai le attività.**

a **Ascolta il brano e scrivi sei parole che secondo te lo riassumono.**

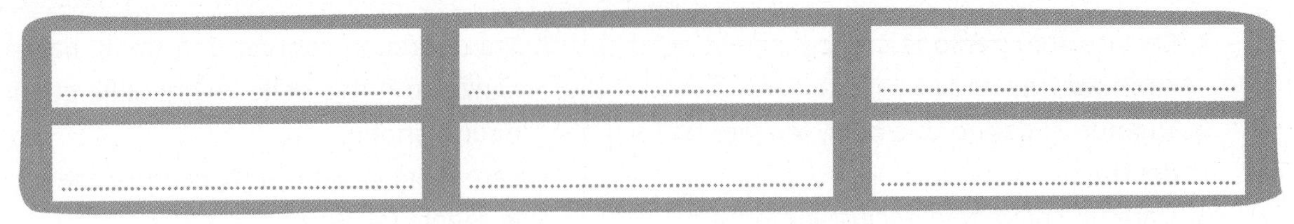

b **Confronta le parole che hai scritto con quelle dei compagni. Ci sono molte differenze? Perché?**

c **Ascolta ancora il brano e scegli (√) le immagini che descrivono i due episodi raccontati.**

IN SPAGNA...

IN FRANCIA...

d **Spiega ai compagni il motivo delle tue scelte.**

e **Con le parole indicate forma l'ultima frase del brano.**

do ■ sulle guance ■ ho ■ Io, di solito, ■ un po' più di ■ che conosco bene e ■ due baci ■ con cui ■ confidenza ■ solo a persone

....

....

f **Ascolta ancora una volta il brano e verifica se la frase che hai scritto è corretta.**

6 **Come si bacia? Fate le attività.**

a **Intervistate persone che vengono da Paesi diversi dal vostro (compagni di classe, insegnanti, amici ecc.) sull'uso dei baci. Fate le domande indicate e aggiungetene altre.**

- Ci sono differenze tra uomini e donne?
- Si usano i baci sia in situazioni formali sia informali?
- Quanti baci si danno?
- ....
- ....

b **Raccogliete tutte le informazioni che avete ottenuto e create un cartellone per illustrare le differenze sull'uso dei baci nei diversi Paesi. Poi, presentate il cartellone alla classe.**

7 **E ora si gioca! Con tutte le informazioni che avete raccolto sull'uso dei baci in Italia create l'acrostico della parola *bacio*. Vince la squadra più originale!**

Lo sai che...

Il **baciamano** è un rito rapido, cortese, impersonale: le labbra dell'uomo sfiorano la pelle della mano della donna, che deve essere nuda. Generalmente è riservato alle donne sposate, ci sono però occasioni in cui si può usare anche con giovani donne non sposate, ad esempio con una concertista dopo un'esibizione. In contesti molto formali, si può baciare anche la mano della propria madre o della propria moglie. Il baciamano va fatto esclusivamente in ambienti chiusi, meglio se privati.

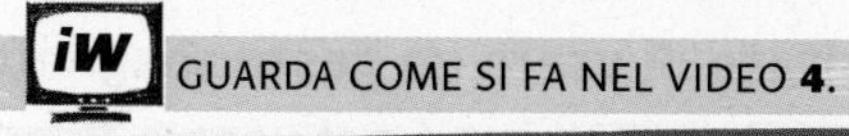

Saluti equivoci B2

1 **Guardate le immagini e fate le attività.**

a **Quali sono i saluti più comuni nel vostro Paese?**

b **Conoscete saluti di altri Paesi che non si usano nel vostro? Perché non si usano?**

2 **Quali saluti avete visto fare agli italiani in Italia o agli italiani nel vostro Paese? In quali occasioni e come erano usati?**

3 **Che equivoco! Fate le attività.**

a **I gesti usati per salutare cambiano a seconda della cultura e del Paese. Guardate l'immagine e descrivete la situazione e l'equivoco che si produce: usate almeno tre delle parole indicate.**

abbassare ■ inchino ■ fraintendere ■ formale ■ informale ■ mano

b **E a voi è mai capitato di usare un gesto sbagliato per salutare? È più facile commettere equivoci nel vostro Paese o in Italia? Perché?**

4 **Che cosa sai sui saluti in Italia? Fai le attività.**

a **Completa la tabella.**

Non sbagliare saluto!	L'assistente di volo	Il tassista / L'autista del mezzo di trasporto	Il receptionist dell'albergo	Il padrone di casa
a. Come saluti?	....	....	....	....
b. Come ti saluta?	....	....	....	....
c. Quali equivoci si possono creare?	....	....	....	....

b  **Confrontate le risposte con quelle dei compagni. Insieme evidenziate le differenze.**

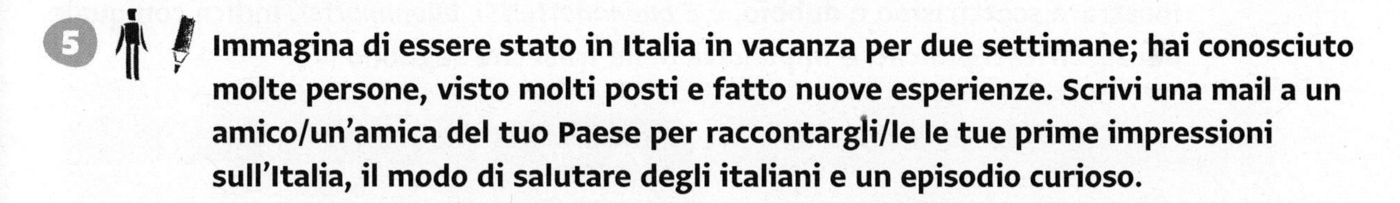

5 **Immagina di essere stato in Italia in vacanza per due settimane; hai conosciuto molte persone, visto molti posti e fatto nuove esperienze. Scrivi una mail a un amico/un'amica del tuo Paese per raccontargli/le le tue prime impressioni sull'Italia, il modo di salutare degli italiani e un episodio curioso.**

Nuovo messaggio

....

....

....

....

....

....

....

6 Associa il gesto all'espressione corrispondente.

1

a Sì... ciao!

b Ciao!

2

7 Guarda il gesto 2 dell'esercizio precedente e rispondi alle domande.

a Il gesto può essere accompagnato anche dall'espressione *Va be'!/Va bene!*. Che cosa significa in questo caso (√)?

1. Quello che dici va bene, ma io non sono d'accordo. ☐
2. Quello che dici va bene, sono d'accordo. ☐
3. Quello che dici non va bene, non sono d'accordo. ☐

b A che cosa serve il gesto?

1. A iniziare una conversazione. ☐
2. A chiudere una conversazione. ☐
3. A continuare una conversazione. ☐

8 **Un'espressione ironica usata per riferirsi a qualcosa che si è lasciato perdere, non si è terminato o si è concluso in modo improvviso, oppure per mostrare scetticismo o dubbio, è *E buonanotte!/Sì, buonanotte!*. Indica con quale dei significati indicati è impiegata nelle frasi che seguono (√).**

Che cosa significa?	Lasciar perdere (desistere, arrendersi)	Concludere in modo improvviso	Mostrare scetticismo, dubbio
a. - Domani smetto di fumare. - Sì, buonanotte!	☐	☐	☐
b. Sai che ti dico? Lavo solo i piatti e buonanotte!	☐	☐	☐
c. - Giuro che stavolta ti telefono presto. - Sì, buonanotte!	☐	☐	☐
d. Non mi farò più sentire e buonanotte!	☐	☐	☐
e. - Per domani dovrei fare 20 esercizi. - Sì, buonanotte!	☐	☐	☐
f. L'hanno licenziato e buonanotte.	☐	☐	☐

 E ora si gioca! Fate le attività.

 L'immagine rappresenta una situazione equivoca. Che cosa sta succedendo? Scrivetelo nello spazio sottostante. Che cosa stanno pensando le persone? Completate i fumetti con le vostre idee.

 Leggete quello che ogni coppia ha scritto e votate la vignetta e la sua descrizione più originali e divertenti. Non potete votare per voi stessi. Vince la coppia che prende più voti.

Lo sai che...

In Italia è diffuso il saluto con il bacio prima a destra e poi a sinistra. Tra uomini si tratta però di un bacio simulato: l'**air kiss**, un bacio nell'aria, senza un vero e proprio contatto fisico. Negli ultimi anni si usano anche il bacio unico su una sola guancia e i tre baci, che si dice portino fortuna.

Paese che vai, saluto che trovi

1 **Saluti dal mondo. In quali Paesi ci si saluta così?**

2 **Salutarsi... che fatica! Fai le attività.**

a **Leggi l'inizio di un articolo che parla dei saluti in diverse parti del mondo e fai le attività.**

Salutarsi nel mondo: ogni Paese ha la sua tradizione!

Salutarsi nel mondo non è mai stato così difficile: strette di mano, baci, battiti dei piedi e movimenti del viso. Ogni Paese ha le sue tradizioni, con forme di saluto caratteristiche, frutto di abitudini anche molto antiche. A volte, non rispettare le regole di saluto è considerato una delle peggiori forme di maleducazione e di mancanza di rispetto che gli stranieri compiono nei confronti dei loro ospiti.
Come fare per non sbagliare? È semplice: stringete la mano! La **stretta di mano** è un saluto usato in tutto il mondo e non causa quasi mai problemi né richiede particolari distinzioni di genere o di età. Quindi, anche se siete in un Paese del quale non conoscete le tradizioni, non fatevi prendere dal panico!

ilgiornaledigitale.it

b  **Riassumi in una sola frase il consiglio che dà l'articolo.**

....

....

Leggete tutte le frasi che avete scritto e scegliete quella che meglio riassume il contenuto del testo: valutate forma, chiarezza e completezza delle informazioni.

3 **Leggi il seguito dell'articolo e scopri come ci si saluta nelle diverse parti del mondo.**

ISOLE HAWAII I navigatori spagnoli che arrivarono per la prima volta alle Hawaii cercarono di fare amicizia con gli abitanti del posto invitandoli a bere qualcosa insieme. Da allora il gesto per invitare a **bere insieme** è diventato il modo più semplice per salutarsi e accogliere persone nuove: il braccio alzato in alto, il pollice teso verso la bocca, il mignolo in aria, le altre dita piegate con la mano che viene fatta ondeggiare.

GIAPPONE I saluti avvengono senza contatto fisico. Con gli occhi abbassati, il corpo si piega in avanti con le mani che scendono lungo le cosce e la schiena dritta. Più importante è la persona e più profondo sarà l'**inchino**.

PAESI ARABI La mano tocca il torace, poi le labbra e infine la fronte. Il messaggio che si vuole trasmettere è: **"Ti do il mio cuore, la mia anima, il mio pensiero"**.

MAORI Per salutare si premono il naso e la fronte contro quelli di un'altra persona. È un gesto utilizzato durante le riunioni tradizionali e altre cerimonie importanti. Nell'**hongi**, il nome tradizionale di questo saluto, l'**ha**, cioè il soffio vitale, è scambiato e mescolato con la persona che si saluta. In tal modo lo straniero non è più considerato **manuhiri** ("visitatore") ma **tangata whenua**, cioè "abitante del Paese". Secondo la tradizione, con questo saluto si condivide il respiro della vita e ci si avvicina in qualche modo agli dei.

TIBET In alcuni Paesi fare la **linguaccia** può essere visto come un segno di maleducazione. In Tibet, invece, tirare fuori la lingua è il modo tradizionale per dare il benvenuto.

INDIA **Namasté** è un saluto originario di India e Nepal. La parola letteralmente significa "mi inchino a te" e deriva dal sanscrito. Di solito, è accompagnata dal gesto di congiungere le mani, unendo i palmi con le dita rivolte verso l'alto, tenendole all'altezza del petto, del mento o della fronte, e facendo al contempo un leggero inchino con il capo. È il saluto degli induisti.

CINA Per dare il benvenuto, i cinesi fanno un inchino a mani giunte davanti al petto; il saluto è chiamato **kowtow**, ha una tradizione millenaria ed è fatto solo dagli uomini. Le donne, invece, fanno un movimento con le mani unite al corpo, un gesto che si chiama **wanfu**.

TAIWAN A Taiwan, per salutarsi la mano destra deve coprire il pugno sinistro, e poi le due mani insieme devono premere contro il cuore. È un gesto che esprime **rispetto**, soprattutto nei confronti delle persone anziane.

THAILANDIA Il saluto di benvenuto thailandese è molto simile a quello cinese: infatti, la tradizione prevede un inchino a mani giunte mentre si pronuncia la formula **sawaddee.** La differenza sostanziale con la Cina sta nel fatto che la posizione delle mani può cambiare molto: più alte sono e maggiore è il rispetto manifestato. Questa modo di salutare è chiamato **wai.**

AMERICA E INGHILTERRA

Il **fist bump**, o **check**, è il saluto pugno contro pugno. È la nuova moda "giovane" che spopola tra i *teen* di America e Inghilterra. Anche il Presidente degli Stati Uniti Barack Obama è stato immortalato mentre faceva questo gesto. Secondo una ricerca britannica, il **fist bump** è più igienico dell'**high five** e della stretta di mano. Mentre con l'**high five** il trasferimento di batteri da una mano all'altra si riduce del 50% rispetto alla stretta di mano, con il **fist bump** si abbassa quasi del 90%. La spiegazione è semplice: la zona di contatto è più ridotta e il gesto è molto rapido.

ilgiornaledigitale.it

4 **Cercate nel testo che avete letto le informazioni necessarie per completare la tabella.**

Paese	Gesto (breve descrizione)	Espressioni verbali che accompagnano il gesto
....	....	....
....	....	....
....	....	....
....	....	....
....	....	....
....	....	....
....	....	....
....	....	....
....	....	....
....	....	....

5 E ora si gioca! Dividetevi in squadre e preparate una lista di cinque domande relative all'articolo che avete letto. Fate le domande alle squadre avversarie. Vince il gruppo che risponde correttamente a più domande.

Suggerimento: se volete vincere, pensate a domande che possano mettere in difficoltà gli avversari.

1. ....

....

2. ....

....

3. ....

....

4. ....

....

5. ....

....

6 Saluti italiani. Fate le attività.

a Conoscete questi gesti? Sapete in quali occasioni si possono usare? Conoscete le espressioni verbali che si possono usare in queste circostanze?

1 2 3

b Confrontate le vostre risposte con quelle dei compagni.

c Per ogni gesto rappresentato sopra, individuate l'espressione verbale che non si può usare (√).

1. **a.** Come te la passi? ☐
   b. È stato un piacere conoscerLa! ☐
   c. In gamba, mi raccomando! ☐
2. **a.** Ossequi! ☐
   b. Ci vediamo prestissimo! ☐
   c. È proprio un piacere incontrarLa qui! ☐
3. **a.** Onoratissimo di aver fatto la Sua conoscenza! ☐
   b. Mi raccomando, torni presto! ☐
   c. Baciamo le mani! ☐

7 **Un gesto, tanti significati! Fate le attività.**

a **Scrivete il copione di un brevissimo cortometraggio. Dovete raccontare un equivoco tra persone di culture diverse. Scegliete l'origine del malinteso tra quelle proposte o, se preferite, inventatene un'altra.**

TITOLO ....

Protagonisti ....

Luogo ....

Origini del malinteso

1. baci sulle guance in ordine invertito; **2.** abbraccio stretto; **3.** una persona dà la mano, l'altra fa un inchino; **4.** salutare con una pacca sulla spalla

Conseguenze ....

IL COPIONE

....

....

....

....

....

b **Dopo aver ascoltato i copioni dei vostri compagni, votate il cortometraggio più divertente e originale e presentate alla classe le ragioni della vostra scelta. Date un voto da 0 a 5, dove 0 significa che non vi è piaciuto affatto e 5 indica il massimo gradimento.**

TITOLO DEL CORTO ....

PUNTEGGIO DA 0 A 5 (*0 non mi è piaciuto, 5 mi è piaciuto moltissimo*) ◯

Lo sai che...

Levarsi il cappello è un gesto diffuso in Occidente, soprattutto fra gli uomini. In passato, il copricapo poteva indicare l'appartenenza a un ceto sociale elevato: togliendolo si manifestava rispetto. Il gesto ha dato vita ad alcuni modi di dire che significano "rendere omaggio, esprimere rispetto o ammirazione" nei confronti di qualcuno. Un esempio è: **Tanto di cappello!**

2 Mhmm... che fame!

Il rito della colazione al bar

1 Come chiedere un caffè? Fate le attività.

a **Quale gesto usano gli italiani quando vogliono bere un caffè?**

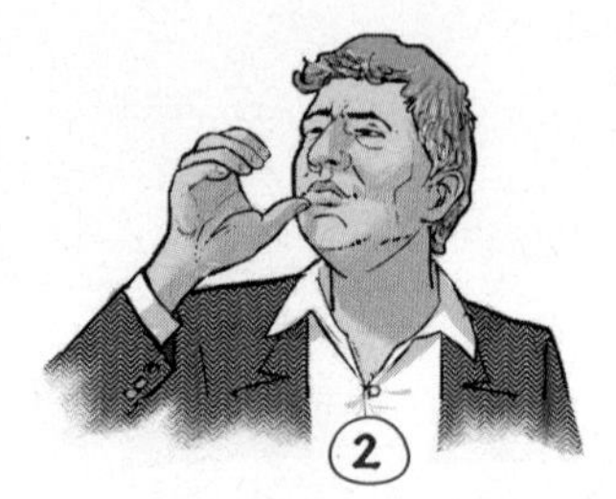

b **Nel vostro Paese quale gesto usate se volete...**

- bere un caffè?
- bere altre bevande (acqua, tè, Coca-Cola ecc.)?
- mangiare?

2 La colazione al bar. Fai le attività.

a **Leggi il testo.**

TESTO SEMPLIFICATO A P. 118

La colazione al bar in Italia

A Non esiste una colazione "italiana" tradizionale, come ad esempio la colazione "anglosassone", "nordica" o "mediterranea". In Italia la colazione si fa al bar con una brioche e un caffè o un cappuccino.
La mattina chi fa colazione al bar è di solito più felice e ottimista. Perché? Le risposte sono molte.

B La prima: è molto piacevole fermarsi al bar preferito prima di iniziare la giornata.

C La seconda: i baristi sono sorridenti, svegli e attenti, spesso scherzano e rendono allegro l'ambiente del bar. I baristi servono velocemente i clienti: agli italiani non piace aspettare!

D La terza: al bar si incontrano persone e si chiacchiera con loro. Al mattino il bar è un luogo sereno: un po' movimentato, ma sereno.

E La quarta: spesso i clienti chiacchierano con il barista o con la barista.
Iniziare la giornata con un'abitudine molto piacevole è importante!

b Collega i paragrafi dell'articolo precedente alle immagini corrispondenti.

☐

☐

☐

☐

☐

c Confrontate le vostre soluzioni con i compagni.

3 **E tu, fai colazione al bar? O fai colazione a casa (√)? Motiva la risposta.**

Faccio colazione al bar perché... ☐ Faccio colazione a casa perché... ☐

....

....

4 **La colazione italiana al bar è famosa anche nei film. Guardate le immagini di questo film e rispondete alle domande.**

a. Conoscete il film?
b. Chi è la protagonista?

Il film è *Eat pray love* (*Mangia prega ama* in italiano) e la protagonista si chiama Liz Gilbert (Julia Roberts). Liz è a Roma per imparare l'italiano. Nella scena dell'immagine è in un bar e conosce Sophie, una ragazza svedese.

5 Cercate in Internet il video *Ordinando un caffè in Italia...* tratto dal film *Mangia, prega, ama*, guardatelo e fate le attività.

a Liz e Sophie ordinano due caffè e due diplomatici.
Nel bar ci sono molte persone e le due ragazze decidono di usare dei gesti. Che cosa significano, secondo voi?

1 ....

2 ....

b Confrontate le vostre risposte con i compagni.

c Associate le espressioni verbali ai gesti (✓).

1. Due! ① ② **2.** Che buono! ① ② **3.** Al bacio! ① ②

6 Gesti e parole. Fate le attività.

a Osservate i gesti. Uno esprime un significato negativo. Quale?

① ② ③ ④

b Guardate il video 5 e verificate le vostre risposte.

c Riscrivete le espressioni verbali che si riferiscono ai gesti sopra.

Che buono! ■ Ottimo! ■ Mi piace molto! ■ Mhmm! ■ Che schifo!
Perfetto! ■ Ok! ■ Non mi piace!

gesto ①: ....
gesto ②: ....
gesto ③: ....
gesto ④: ....

7 **I gesti nel vostro Paese. Fate le attività.**

a **Rispondete alle domande.**

- Nel vostro Paese usate dei gesti per dire che un cibo o una bevanda sono buoni o cattivi?
- Quali gesti usate?
- Che cosa dite quando fate questi gesti?

b **Preparate un cartellone con immagini o foto dei vostri gesti.**

c **Presentate i vostri cartelloni alla classe.**

8 **Al bar. Fate le attività.**

a **Al bar quali frasi può dire un barista (B)? Quali frasi può dire un cliente (C)? E quale tutti e due (D)? Scrivetelo nella casella.**

1. Buongiorno! Volete ordinare? ..... ☐
2. Io prendo un caffè e una brioche. ..... ☐
3. Per me un caffè, grazie!
4. Devo pagare due caffè e una brioche. ..... ☐
5. Con la crema o con la cioccolata? ..... ☐
6. Vorrei un cappuccino, per favore! ..... ☐
7. E Lei, cosa prende? ..... ☐
8. Ecco a voi: due caffè e una brioche. ..... ☐
9. Quant'è? ..... ☐
10. Grazie e arrivederci! ..... ☐

b **Confrontate le vostre risposte con i compagni.**

9 **E ora si gioca! Role-play al bar. Pensate e recitate un dialogo tra un barista e due clienti. Potete usare le frasi dell'attività precedente o altre. Dovete usare anche i gesti. Vince la squadra che usa in modo corretto il maggior numero di gesti.**

Lo sai che...

Il **cappuccino** è una bevanda fatta di caffè espresso e latte.
Si chiama *cappuccino* perché il suo colore è marrone scuro, come la tonaca dei frati cappuccini. Ci sono due varianti: il cappuccino chiaro, dove il caffè è poco; il cappuccino scuro, dove il caffè è tanto. Ricordate: gli italiani bevono il cappuccino solo la mattina!

Al mercato con i gesti

1 **Guardate il gesto e fate le attività.**

a **Conoscete questo gesto? Secondo voi, che cosa significa?**

b **Guardate il video 6 e verificate le vostre ipotesi.**

2 **Guardate l'immagine e rispondete alle domande.**

a. Dove sono i personaggi del disegno?
b. Che cosa stanno facendo?
c. Che cosa vuole comunicare la signora?
d. È una situazione formale o informale?

3 **Ascoltate il dialogo e fate le attività.**

a **Rispondete alle domande motivando le vostre risposte.**

1. Chi sono le persone che parlano? Si conoscono?
2. Dove sono?
3. Secondo voi, il disegno sopra descrive il dialogo che avete ascoltato? Perché?

b **Secondo voi, il gesto che avete visto può accompagnare il dialogo? Perché?**

4 Quali gesti usare? Fate le attività.

a Nel dialogo che avete ascoltato si possono usare molti gesti italiani. Osservatene alcuni. Li conoscete? Che cosa significano?

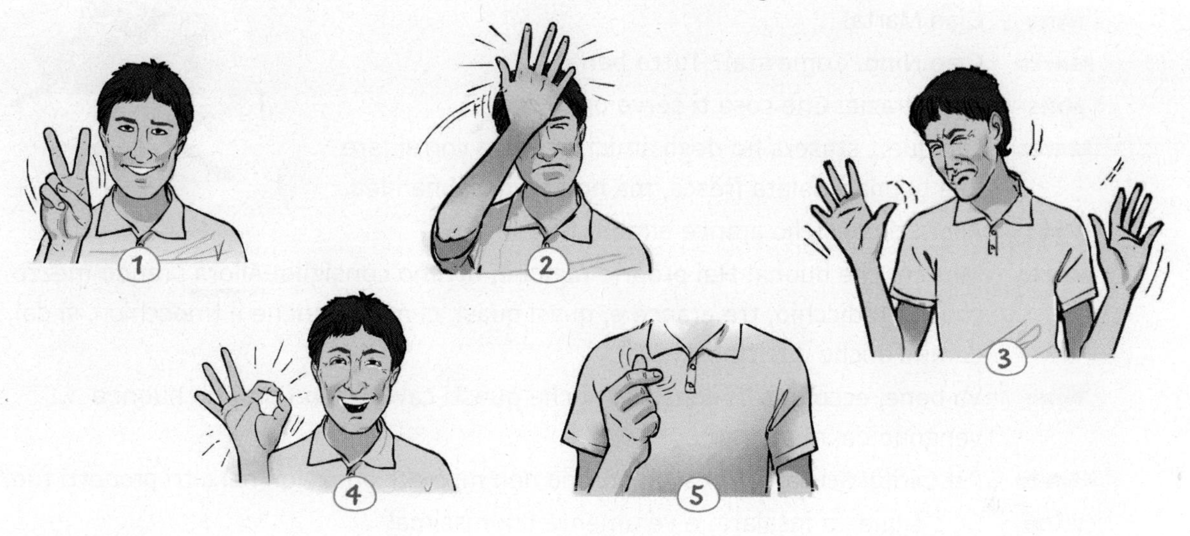

b Guardate i video 7, 8, 9, 10, 11 e verificate le vostre ipotesi.

5 Ascolta di nuovo il dialogo e fai le attività.

a Associa a ogni gesto la parola o la frase che senti nel dialogo.

Gesto	Parola o frase
1	....
2	....
3	....
4	....
5	....

b Troppo difficile? Leggete il testo del dialogo e completate la tabella della pagina precedente.

Da Nino, il fruttivendolo

Nino Ciao Marta!
Marta Ciao Nino. Come stai? Tutto bene?
Nino Sì sì, grazie! Che cosa ti serve oggi?
Marta Dunque... stasera ho degli amici a cena e vorrei fare una buona insalata fresca, ma non ho nessuna idea.
Nino Allora ti consiglio arance e radicchio.
Marta Mhmm, che buona! Hai proprio ragione, ottimo consiglio! Allora prendo mezzo chilo di radicchio, tre arance e, quasi quasi, ci metto anche il finocchio... sì dai, dammi anche due finocchi.
Nino Va bene, ecco qui! Ti consiglio anche questi cavoli, sono proprio buoni e vengono dal mio orto.
Marta Per carità! Scusa, ma i cavoli proprio non mi piacciono. Non hai altri prodotti tuoi?
Nino Sì, c'è questa insalata, è veramente buonissima!
Marta Ok, allora la provo. Un cespo, grazie. Vorrei anche un po' di frutta. Un chilo di arance da spremuta...
Nino Vuoi quelle naturali?
Marta Sì, grazie mille! E poi anche mezzo chilo di mandarini.
Nino Ecco qui! Serve altro?
Marta No, per oggi basta così. Quant'è?
Nino Sono 11,20 euro.
Marta Scusa, aspetta un attimo, non trovo il portafoglio...
Nino Sì sì tranquilla, non c'è fretta!
Marta Noooo! Ho dimenticato il portafoglio a casa. Lascio qui la borsa con la spesa dieci minuti, vado a casa a prenderlo e ti porto subito i soldi.
Nino Ma non ti preoccupare, mi porti i soldi domani. Nessun problema!
Marta No, guarda, preferisco pagare subito.
Nino Va bene, come preferisci, a fra poco.

c Confrontate con i compagni le parole e le frasi che avete scritto nella tabella.

6 E nel vostro Paese? Fate le attività.

a Nel vostro Paese si usano i gesti che avete visto? Ci sono altri gesti che si possono usare al mercato? Quali?

....

....

....

b **Cercate in Internet le immagini dei gesti che potete usare al mercato nel vostro Paese (oppure fate delle foto) e preparate un cartellone. Accanto a ogni immagine scrivete le frasi o le parole che si possono associare ai gesti.**

c **Presentate il vostro cartellone alla classe.**

7 **E ora si gioca! Role-play al mercato. Pensate a un dialogo tra un fruttivendolo e una cliente aiutandovi con le indicazioni riportate sotto. Ricordate di usare i gesti: potete usare quelli presentati nell'attività 4 o altri gesti italiani che conoscete. Vince il gruppo che usa in modo corretto il maggior numero di gesti.**

IL FRUTTIVENDOLO

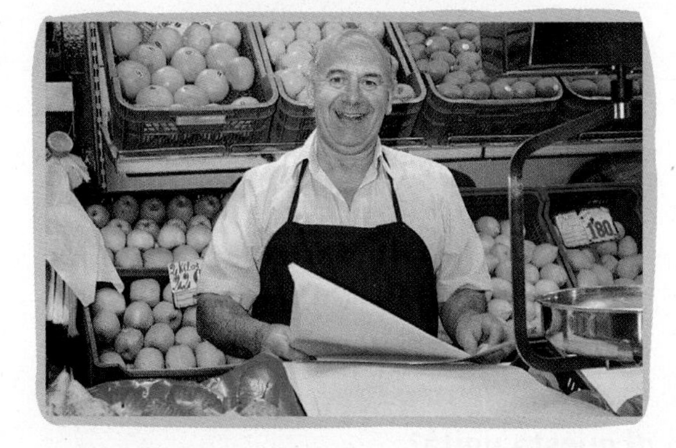

- Sei un fruttivendolo e devi servire una cliente abituale che conosci da molto tempo e che viene molto spesso al tuo banco.
- Consiglia alla cliente i prodotti più buoni e più freschi.

LA CLIENTE

- Sei una cliente, vai al tuo banco di fiducia per comprare frutta e verdura.
- Conosci molto bene il fruttivendolo perché da molto tempo vai lì almeno due volte alla settimana.
- Chiedi consiglio su quali prodotti scegliere.

Lo sai che...

NON ESSERE TIMIDO! Al mercato non avere paura, chiedi ai venditori: "Da dove viene il prodotto? È fresco? Posso assaggiare? Come lo cucino o lo conservo?" ecc. Dare importanza al venditore aiuta a costruire le basi di un buon rapporto umano, che è fondamentale per una contrattazione al mercato. Avere un buon rapporto con il venditore ti permette di parlare chiaramente: ad esempio, puoi lamentarti senza problemi se qualcosa che hai comprato il giorno prima non era buono; ricorda però di farlo sempre con gentilezza!

dissapore.com

Giù i gomiti dal tavolo

1 Un mondo di regole! Fate le attività.

a **Associate ogni disegno a una frase. Attenzione: c'è una frase in più.**

1

2

3

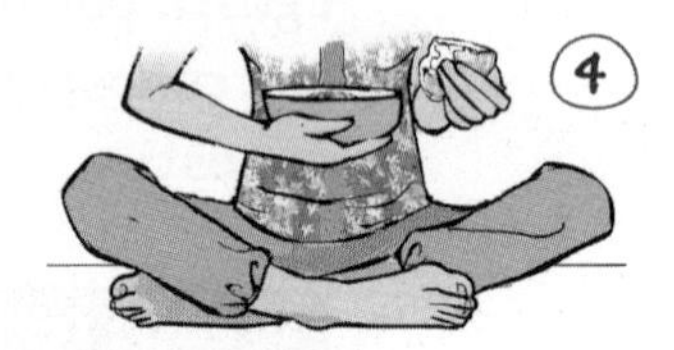
4

5

6

a. Mettere le mani sul grembo. ◯
b. Mettere i gomiti sul tavolo. ◯
c. Appoggiare il tovagliolo sulle gambe. ◯
d. Mangiare per terra nascondendo le piante dei piedi. ◯
e. Masticare con la bocca aperta. ◯
f. Fare la scarpetta. ◯
g. Mettere l'intera posata in bocca. ◯

b **Secondo voi, qual è l'argomento di questa unità?**

c **Quali comportamenti tra quelli che avete visto sono accettati nella vostra cultura? Quali, invece, non lo sono?**

2 A tavola! Fai le attività.

a **Secondo te, bisogna seguire queste regole in Italia? E nel tuo o in altri Paesi? Completa la tabella.**

Che cosa si deve o non si deve fare a tavola?

1	Essere **rumorosi** mentre si mangiano pasta e zuppe per mostrare apprezzamento verso il cibo e chi l'ha preparato.	In Italia	Sì	No
		In	Sì	No
2	**Riempire** il bicchiere alle persone sedute vicino prima di servire se stessi.	In Italia	Sì	No
		In	Sì	No
3	Fare la **scarpetta**.	In Italia	Sì	No
		In	Sì	No
4	Rifiutare una bevanda con un leggero **cenno** della mano.	In Italia	Sì	No
		In	Sì	No

5	Non emettere **rumore** quando si mastica.	In Italia	Sì No
		In	Sì No
6	Portare il piatto o la ciotola alla **bocca**.	In Italia	Sì No
		In	Sì No
7	Prima di iniziare a mangiare, **aspettare** che tutti si siano serviti e che i padroni di casa inizino il pasto.	In Italia	Sì No
		In	Sì No
8	**Non toccare** il cibo con le mani.	In Italia	Sì No
		In	Sì No
9	Se non si desidera mangiare altro, mettere forchetta e coltello **parallelamente** sul piatto.	In Italia	Sì No
		In	Sì No
10	Per evitare di lasciare qualcosa a fine pasto, non prendere porzioni troppo **grandi**.	In Italia	Sì No
		In	Sì No
11	**Schiacciare** le patate con la forchetta per far assorbire meglio il sugo.	In Italia	Sì No
		In	Sì No
12	**Alzarsi** subito dopo aver finito di mangiare.	In Italia	Sì No
		In	Sì No
13	Non brindare con la **birra**.	In Italia	Sì No
		In	Sì No
14	Lasciare le bacchette **infilate** nella ciotola di riso.	In Italia	Sì No
		In	Sì No
15	Mangiare per terra, ma senza mostrare le piante dei **piedi**.	In Italia	Sì No
		In	Sì No

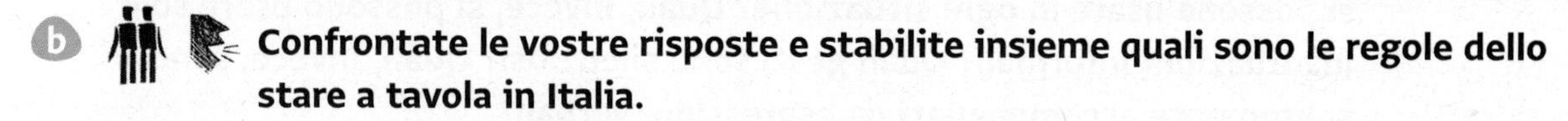

b **Confrontate le vostre risposte e stabilite insieme quali sono le regole dello stare a tavola in Italia.**

c **Leggete l'articolo e verificate le vostre ipotesi.**

Il galateo della tavola italiana

L'antico libretto dedicato al bon ton, il **Galateo**, prevede precise regole da rispettare per non apparire maleducati. Si può essere più o meno flessibili in base al tipo di commensali (ad esempio si è più tolleranti quando a tavola ci sono bambini), ma ci sono delle regole elementari che è meglio rispettare sempre.

1 Sedersi alla giusta distanza dal tavolo e prestare attenzione alla **postura**. Non bisogna mai appoggiare i gomiti sul tavolo, le braccia vanno lungo i fianchi e solo le mani sulla tovaglia.

2 Prima di iniziare a mangiare è obbligatorio **aspettare** che tutti gli ospiti siano serviti e che i padroni di casa inizino il proprio pasto. Se c'è il rischio che la pietanza si raffreddi, saranno loro a invitare i commensali a iniziare.

3 Mai **toccare** gli alimenti con le mani, tranne il pane e i grissini, che vanno prima spezzati e poi portati alla bocca.

4 Non fare la **scarpetta**.

5 Evitare di fare **rumore** quando si mangia o si beve. Nessuno vi deve sentire masticare, fatelo sempre a bocca chiusa.

6 Bisogna sempre ricordarsi che la forchetta (o il cucchiaio) deve essere portata alla bocca e non il contrario; quindi mai **abbassare** la testa per avvicinarsi alla posata o, ancora peggio, al piatto. Il coltello non va mai portato alla bocca ma va usato solo per tagliare.

7 Se non si desidera mangiare altro, al **termine** di ogni portata forchetta e coltello vanno posati parallelamente sul piatto. Se si sta ancora mangiando, posizionarli con le punte a contatto e con i manici leggermente divaricati.

8 Se si prende il cibo da un piatto da portata (collocato solitamente al centro del tavolo), non usare mai le proprie **posate**, ma quelle collocate sul piatto da portata. In questo caso, mai prendere una porzione troppo grande, per evitare di lasciare avanzi a fine pasto.

9 Se la distanza per raggiungere una pietanza sulla tavola è eccessiva, non allungarsi troppo né alzarsi, ma chiedere a chi è seduto vicino di **passarcela**.

10 Se si ha il bicchiere per il vino o per l'acqua vuoto, prima di servirsi è bene versarlo anche a chi è seduto **vicino**. Invece, per rifiutare una bevanda basta fare un leggero cenno con la mano a chi ve la sta offrendo.

agrodolce.it

3 **Gesti formali e informali. Fate le attività.**

a  **Guardate i video 12, 13, 14, 15, 16, 17 e completate la tabella. Quali gesti si possono usare in ogni situazione? Quali, invece, si possono usare solo in situazioni informali? Quali gesti sono silenziosi? Quali, invece, sono solitamente accompagnati da espressioni verbali?**

Gesto						
In ogni situazione	☐	☐	☐	☐	☐	☐
In situazioni informali	☐	☐	☐	☐	☐	☐
Silenzioso	☐	☐	☐	☐	☐	☐
Accompagnato da espressioni verbali	☐	☐	☐	☐	☐	☐

b Confrontate le vostre risposte con i compagni.

c Quali espressioni assocereste ai gesti che avete visto?

....

....

....

d Guardate le schede alla fine di ogni video e verificate le vostre ipotesi.

4 

E ora si gioca! Paese che vai, regole che trovi! Ogni Paese ha le sue regole: guardate le immagini, leggete i testi e provate a indovinare a quale Paese o continente tra quelli indicati si riferiscono. Attenzione: sono indicati due Paesi in più. Vince la squadra che finisce nel minor tempo.

Corea ■ Ungheria ■ Francia ■ Tanzania ■ Germania ■ Asia ■ Colombia

1

Non accavallare le gambe.
....

2

Schiacciare le patate con la forchetta per far assorbire meglio sugo.
....

3

Mangiare per terra senza far vedere la piante del piede.
....

4

Prendere sempre il piatto con due mani.
....

5
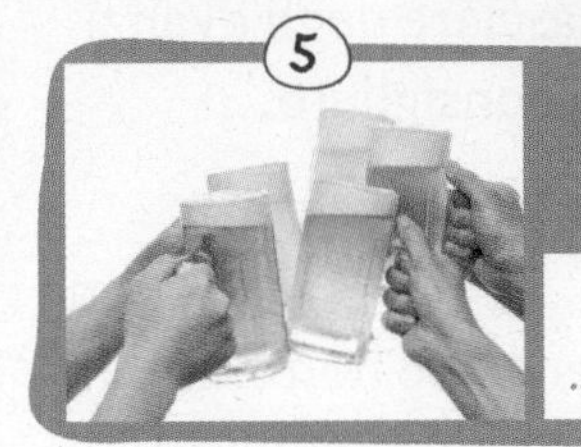
Mai brindare con la birra.
....

IL MANIFESTO DELLE REGOLE DELLA TAVOLA NEL MONDO A P. 119

Lo sai che...

Secondo il vecchio galateo iniziare un pasto con **buon appetito** non è cortese.
Per gli aristocratici, infatti, stare a tavola era un'occasione per conversare, stabilire alleanze tra le famiglie e parlare di affari. Il cibo era solo un contorno piacevole alla conversazione; per questo la nobiltà non arrivava mai affamata a tavola e non aveva motivo di augurare buon appetito. Il padrone di casa dava inizio al pasto in silenzio.

L'ospite perfetto

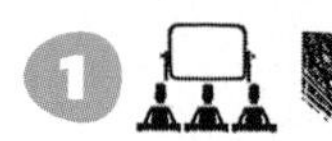

1 Guardate le immagini: di che situazione si tratta?

2 Culture del mondo. Fate le attività.

a Leggete il testo e completate con le nazionalità corrette, scegliendole tra quelle indicate.

coreano ■ giapponese ■ indiano ■ brasiliano ■ argentino ■ italiano
francese ■ tedesco ■ marocchino

L'ospite* perfetto in tutto il mondo

Quando si è **invitati a cena** a casa di altre persone, ci sono delle regole da conoscere e da rispettare: ogni cultura ha le proprie.

1 A casa di un .... è bene non chiedere mai un **cucchiaio** per mangiare gli spaghetti o altri tipi di pasta, tranne il minestrone. Lasciare degli avanzi nel piatto è vivamente sconsigliato.

2 Quando dovete presentarvi a cena in casa di un .... , non siate **mai puntuali**, a meno che non sia stato specificato: in genere, l'appuntamento è fissato un'ora in anticipo. Non è perciò considerato scortese essere molto in ritardo; se arrivaste puntuali, potreste trovare il vostro amico ancora in pigiama o impegnato nella preparazione della cena. A casa sua potete comportarvi come a casa vostra: aprite il frigo, prendete quello che volete, ma aiutate anche a cucinare, a sistemare e a lavare i piatti dopo cena.

3 Vino, dessert, dolciumi e fiori sono i benvenuti, ma sapete qual è il miglior regalo per un .... ? **Champagne!**

4 **Tardare** più di 15 minuti per la cena è davvero scortese nei riguardi di un padrone di casa .... Un consiglio: se portate alcolici, evitate la birra, perché non sarebbe gradita.

5 Fate attenzione: se volete portare del **vino**, siate sicuri che al vostro ospite piaccia, altrimenti potrebbe essere offensivo. Se preferite andare sul sicuro, scegliete un **dolce**, magari tipico del vostro Paese e introvabile nel Paese di chi vi invita. Come ospiti, non vi sarà concesso di aiutare a sistemare ma, se lo fate, non gettate il pane, perché ha un valore sacro nella cultura di un padrone di casa ………………………… .

6 Gli ………………………… non lasciano mai la casa dove sono stati invitati senza aver prima bevuto una tazza di **caffè** o di **mate**. Si tratta, infatti, del momento più importante della giornata, quando gli amici aprono il cuore e condividono i propri sentimenti: è come un grande abbraccio collettivo, vero cibo per l'anima.

7 Fare troppo rumore e darsi ai bagordi in casa di un …………………, soprattutto di notte, è considerato irrispettoso perché potrebbe causare problemi con i vicini: in una città sovraffollata come Tokyo si deve convivere in **tranquillità** e **quiete**.

8 "Gli ospiti sono regali di Dio", dice un detto: per questo l'ospite riceve un **bicchiere d'acqua** al suo arrivo. Prima di entrare in casa l'ospite è anche invitato a lasciare le scarpe fuori. Gli ………………………… amano i saluti formali, per questo lo scambio di baci non sempre è ben accetto. A tavola, l'alcol non accompagna mai il pasto.

9 **Toglietevi le scarpe** e fate complimenti come: "Questo posto è delizioso! Così carino, pulito ecc.". Anche se avete fame, dev'essere chi vi ospita a iniziare a mangiare. Se la cena non vi piace, dite lo stesso che è buonissima e cercate di finire tutto: per i ………………………… è segno di buona educazione.

agrodolce.it

* In italiano la parola *ospite* ha due significati: il primo è "persona che ospita" (cioè il padrone di casa), il secondo è "persona che riceve ospitalità" (quindi l'invitato).

b **Riassumete il concetto culturale di "ospitalità" di ogni Paese.**

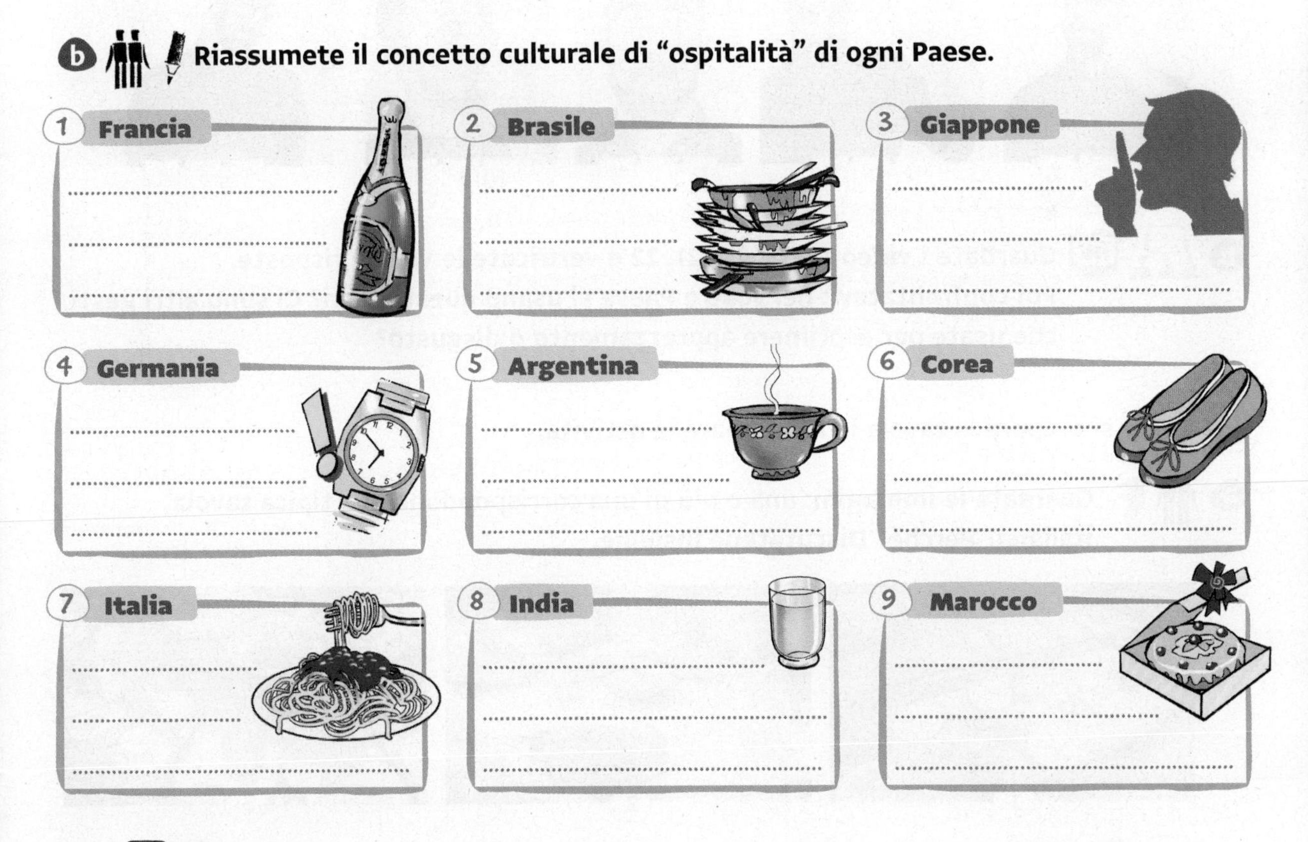

c **Confrontate le vostre risposte con i compagni.**

3 **Com'è l'ospite perfetto nel vostro Paese? Fate le attività.**

a **Quali sono le regole dell'ospitalità che si devono seguire nel vostro Paese? Scrivete una lista.**

Paese	....
Regole	1. ....
	2. ....
	3. ....

b **Presentate le regole dell'ospitalità nel vostro Paese ai compagni. Ci sono molte differenze? Quali?**

4 **I gesti a tavola. Fai le attività.**

a **A tavola puoi esprimere apprezzamento o disgusto per quello che stai mangiando o bevendo con i gesti. Indica (√) se i gesti riportati si usano in un contesto formale (F), informale (I) o in entrambi (E).**

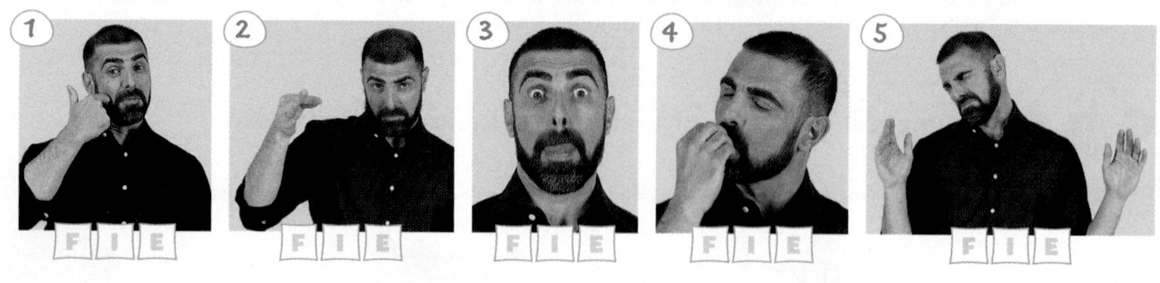

b iw **Guardate i video 18, 19, 20, 21, 22 e verificate le vostre risposte. Poi confrontatevi: nel vostro Paese si usano questi gesti? Ci sono altri gesti che usate per esprimere apprezzamento o disgusto?**

5 **Come si prepara la tavola in Italia? Fate le attività.**

a **Guardate le immagini: una o più di una corrispondono alla tipica tavola italiana? Perché? Discutetene insieme.**

b **Confrontate le vostre ipotesi con i compagni.**

c **Guardate l'immagine di una tavola apparecchiata per una cena importante e associate il nome degli oggetti sulla tavola alla loro descrizione.**

1. coperto
2. piatto piano
3. piatto fondo
4. piattino del pane
5. corredo da tavola
6. posateria
7. cristalleria
8. calice

a. piccolo piatto piano, portato in auge dagli inglesi ◯
b. piatto destinato alla seconda portata (di carne o pesce) ◯
c. l'insieme di coltelli, forchette e cucchiai ◯
d. generalmente i bicchieri e le brocche, anche se sono di vetro e non di cristallo ◯
e. l'insieme di tovaglia e tovaglioli ◯

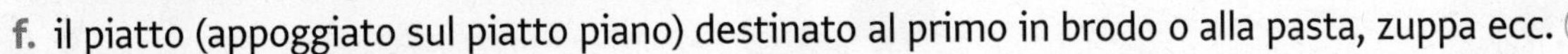

f. il piatto (appoggiato sul piatto piano) destinato al primo in brodo o alla pasta, zuppa ecc. ◯
g. bicchiere a stelo. Ce ne sono di diverse forme: *flûte*, *balloon* ecc. È il bicchiere per il vino ◯

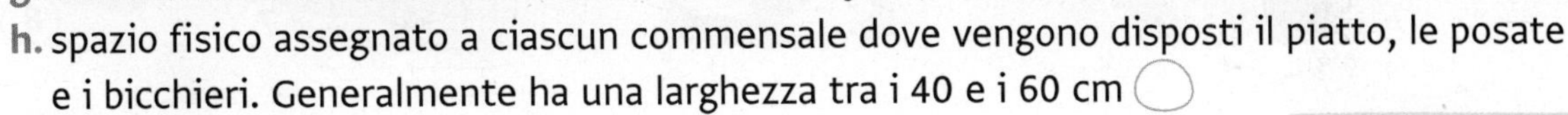

h. spazio fisico assegnato a ciascun commensale dove vengono disposti il piatto, le posate e i bicchieri. Generalmente ha una larghezza tra i 40 e i 60 cm ◯

csabadallazorza.com

d **Com'è apparecchiata la tavola nel vostro Paese? Cambia nei giorni di festa? Ci sono molte differenze con la tavola italiana?**

6 **E ora si gioca! Disegnate la tavola italiana che si apparecchia tutti i giorni. Quali oggetti ci sono e come sono disposti? Quali cibi? L'insegnante è il vostro giudice: vince chi si avvicina di più alla tipica tavola italiana.**

Lo sai che...

Alla destra dei **piatti** vanno messi il **coltello**, con la lama rivolta verso l'interno, e il **cucchiaio**; alla sinistra, invece, una o due **forchette** (secondo il menu) e il **tovagliolo** piegato in modo semplice. In alto, sopra il piatto, ci sono le **posate da dessert** (il manico della forchettina a sinistra, il coltellino o il cucchiaino con l'impugnatura a destra). Sopra le posate di destra vanno messi i **bicchieri**, tanti quanti sono i vini da servire. I bicchieri vanno disposti mettendo quello dell'acqua alla sinistra di quello del vino; in caso ci siano più vini possono essere scelte varie soluzioni.

Mani che parlano: che cosa dicono?

1 Quali azioni compiono le mani? Fate le attività.

a Guardate le immagini e associatele all'espressione corrispondente. Attenzione: è possibile che ci siano più espressioni per immagine!

a. pregare ◯
b. darsi la mano ◯
c. applaudire ◯
d. baciare la mano ◯
e. tenere le dita incrociate ◯
f. darsi/battere il cinque ◯
g. chiedere la mano ◯
h. a mani giunte ◯
i. fare il baciamano ◯
l. stringere la mano ◯

b Nel vostro Paese usate altri gesti che si possono fare con le mani? Quali?

2 Che storia! Fate le attività.

a Leggete i testi.

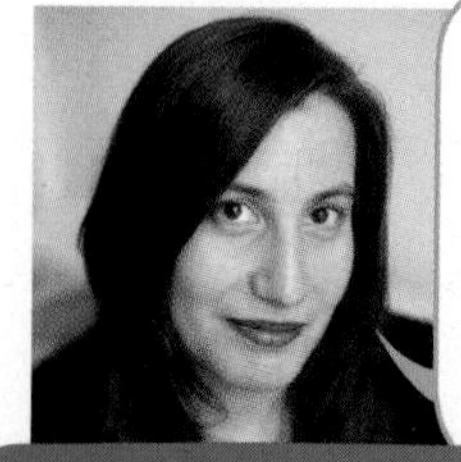

C'è una **grande eloquenza nei gesti** degli italiani: alcuni sono semplici, come la mano sulla pancia che significa "fame", l'indice sulla guancia significa "qualcosa di appetitoso", ma alcuni sono anche più complessi, come quando si mettono le mani giunte in segno di supplica o si alzano al cielo per dire "nessuno sa come andrà a finire". Le persone parlano con i gesti mentre chiacchierano al cellulare, fumano una sigaretta, o guidano e inveiscono* nel traffico.

Rachel Donadio, corrispondente del *New York Times* in Italia

internazionale.it

* inveire: maledire, insultare

Al di là del folklore, **i gesti hanno una lunga storia**. Secondo alcuni, risalirebbero a quando l'Italia era dominata da potenze straniere, tra il XIV al XV secolo, e il popolo usava i gesti per comunicare e non farsi capire dagli invasori. Un'altra teoria è che, nelle città popolose, i gesti fossero un modo per farsi rispettare e marcare il territorio.

Isabella Poggi, professoressa di psicologia all'Università degli Studi Roma Tre

Napoli, 1832. Alcuni anni fa alcuni ufficiali stranieri, messo piede a terra, trovarono al molo di Napoli dei ragazzi che li seguivano e che gesticolavano usando il palmo della mano per battersi continuamente il fianco. Gli ufficiali, credendo che ciò fosse un'offesa, sdegnati perseguitarono i ragazzi a colpi di bastone. Informati in seguito del corretto significato del gesto ("avere fame"), diedero ai ragazzi dei soldi per comprarsi da mangiare.

Andrea de Jorio, (1769-1851), canonico, archeologo ed etnografo

A. de Jorio, *La mimica degli antichi investigata nel gestire napoletano*, Stamperia del Fibreno, Napoli 1832

La comunicazione non verbale è un processo sottile, spontaneo, multidimensionale, basato su segnali che sono in genere condivisi dalle persone appartenenti alla stessa cultura, ma non necessariamente da persone di altre culture. Proprio per questo, a volte **è difficile identificare correttamente e comprendere i messaggi non verbali** di chi appartiene a un'altra cultura. Di conseguenza, molti problemi comunicativi possono nascere giusto in questo ambito.

Angelica Mucchi Faina, professoressa di psicologia sociale all'Università degli Studi di Perugia

b **Scrivete un testo rielaborando le informazioni dei fumetti. Fate attenzione alle informazioni principali, al discorso diretto/indiretto e ai legami logico-sintattici. Non dimenticate il titolo!**

....

....

....

....

....

....

....

....

....

....

....

c **Oggi i professori siete voi! Ogni coppia riceve il testo scritto da un'altra: lo deve leggere, correggere e valutare.**

3 Che fame! Fate le attività.

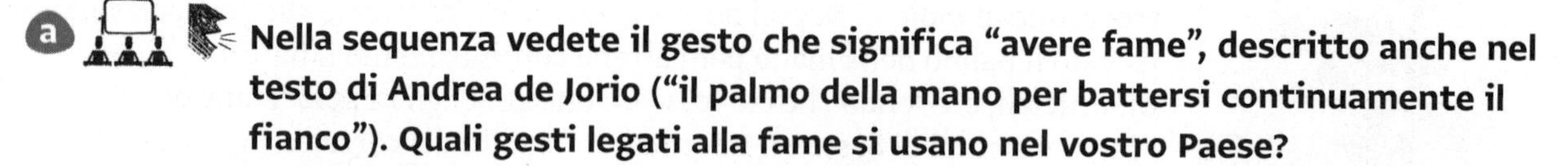

a Nella sequenza vedete il gesto che significa “avere fame”, descritto anche nel testo di Andrea de Jorio (“il palmo della mano per battersi continuamente il fianco”). Quali gesti legati alla fame si usano nel vostro Paese?

b In Italia si usano spesso altri due gesti per indicare la fame: per ognuno indicate quali espressioni verbali lo possono accompagnare. Poi, scrivete almeno altre due espressioni per ogni gesto.

Avere fame, a gesti e a parole

	1	2
a. Ho una fame da lupi!	☐	☐
b. Dai, andiamo a mangiare!	☐	☐
c. Ho una fame nera!	☐	☐
d. Ho una fame blu!	☐	☐
e. Mangiamo qualcosa?	☐	☐

....

....

....

....

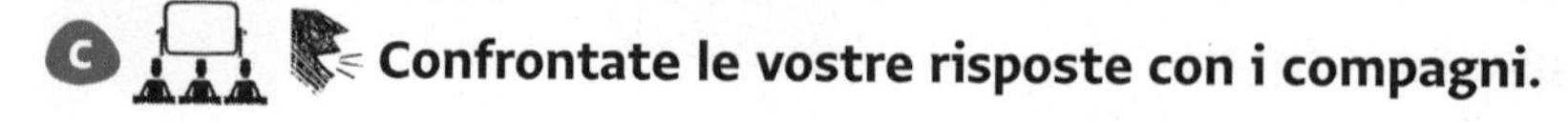

c Confrontate le vostre risposte con i compagni.

4 Una fame da lupi! Fate le attività.

a *Ho una fame da lupi* **è una tipica espressione per dire che si ha molta fame: il lupo, infatti, è considerato un animale molto vorace. Siete d'accordo? O scegliereste un altro animale?**

b **Lupo, cane, orso, cavallo, pesce, gatto ed elefante sono gli animali che sono più frequentemente associati alla fame. Nella tua lingua esistono queste espressioni? Scrivile, oppure scrivi solo il nome dell'animale.**

in italiano: **avere una fame da lupi**
in serbo: **gladan kao vuk** (= avere una fame da lupi)
in russo: **byt' golodnym kak volk** (= avere una fame da lupi)
in francese: **avoir une faim de loup** (= avere una fame da lupi)

nella tua lingua: ....

(traduzione italiana: ....)

in spagnolo: **tener un hambre canina** (= avere una fame da cane)

nella tua lingua: ....

(traduzione italiana: ....)

in tedesco: **einen Bärenhunger haben** (= avere una fame da orsi)
in inglese: **I'm as hungry as a bear** (= essere affamato come un orso)

nella tua lingua: ....

(traduzione italiana: ....)

in inglese: **I'm so hungry I could eat a horse**
(= sono così affamato che mi mangerei un cavallo)
in polacco: **zjadłbym konia z kopytami**
(= mangerei un cavallo con gli zoccoli)

nella tua lingua: ....

(traduzione italiana: ....)

in spagnolo (latinoamericano): **me pica el bagre**
(= ho famissima, *informale*; letteralmente, "mi punge il pesce gatto")

nella tua lingua: ....

(traduzione italiana: ....)

in spagnolo: **tengo tanta hambre que me comería un elefante**
(= ho così tanta fame che mi mangerei un elefante)

nella tua lingua: ....

(traduzione italiana: ....)

DISEGNA TU UN ANIMALE

nella tua lingua: ....

....

(traduzione italiana: ....

....)

C **Confrontate le vostre risposte con i compagni. Ci sono molte differenze?**

5 **E ora si gioca! Abbiamo visto solo una piccola parte dei gesti che gli italiani usano per riferirsi al cibo o allo stare a tavola. Pescate un cartellino, guardate il gesto e provate a spiegare quando e perché gli italiani lo usano. L'insegnante è il vostro giudice. Se indovinate tenete la carta, altrimenti rimettetela sotto il mazzo. Vince la squadra che indovina più gesti.**

MATERIALE A P. 119

Lo sai che...

Questo gesto indica **sazietà** e genera spesso molta confusione con il gesto del mal di pancia e/o con quello che esprime fame; perciò, è consigliabile accompagnarlo con le espressioni *Sono sazio!*, *Sono pieno!*, *Ho la pancia piena*, ricordando che la prima è adatta a contesti più formali e le altre a situazioni più informali.

Attenzione: quando siamo ospiti a casa di qualcuno e vogliamo gentilmente **rifiutare** dell'altro cibo, usiamo questo gesto dicendo *Grazie, tutto buonissimo!* oppure *Mi fermo, sono proprio pieno! Grazie!*.

ilgiornaledigitale.it

3

Attenzione alla moda!

Come mi vesto?

1 Le quattro stagioni. Fate le attività.

a **Mettete in ordine le lettere e scrivete il nome delle stagioni. La prima e l'ultima lettera di ogni parola sono al posto giusto.**

PRMAIREVA

IENRVNO
....

EATSTE
....

ANUNUTO
....

b **Confrontate le vostre risposte con i compagni.**

2 Gesti e stagioni. Fate le attività.

a **Che cosa significano questi gesti?**

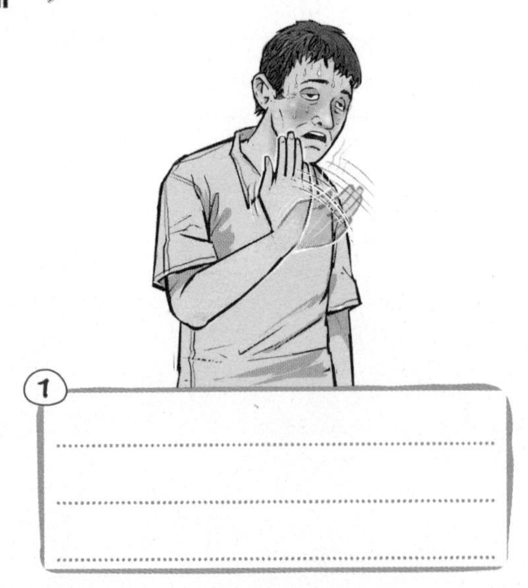

b **Guardate i video 23 e 24: le vostre idee sono corrette?**

c **In Italia, il primo gesto si usa spesso in estate e il secondo in inverno. Nel vostro Paese si usano questi gesti? Quando?**

3 **Com'è meglio vestirsi nelle città italiane quando è estate? Fate le attività.**

a **Leggete uno dei due testi e sottolineate le informazioni più importanti.**

TESTI SEMPLIFICATI A P. 121

1. Le donne

Non è facile essere eleganti e stare anche comode. Quando fa troppo caldo, per sopravvivere in ufficio o in città, è meglio indossare vestiti leggeri, di lino o di cotone, di taglio più largo e di colori chiari, come il beige e il bianco. Ecco quali abiti potete usare.

iodonna.it

2. Gli uomini

Per stare più freschi e comodi, a volte, in estate, gli uomini scelgono dei vestiti che possono essere inopportuni al lavoro... ma anche nel tempo libero. Ecco una lista di abiti da evitare.

Vanno bene l'eleganza e lo stile, ma in estate è sempre meglio scegliere dei vestiti più freschi, di cotone o di lino.

La camicia hawaiana

È poco professionale in ufficio e sconsigliata anche nel tempo libero. Questo tipo di camicia dà a chi la indossa l'aspetto di un eterno turista.

I pantaloni corti

I pantaloni corti non sono considerati una buona scelta perché poco eleganti, soprattutto nelle situazioni di lavoro, ma anche nel tempo libero.

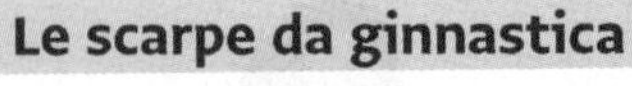

Sono sempre poco eleganti, anche se abbinate a vestiti seri. Meglio usare le scarpe da ginnastica solo quando si fa sport.

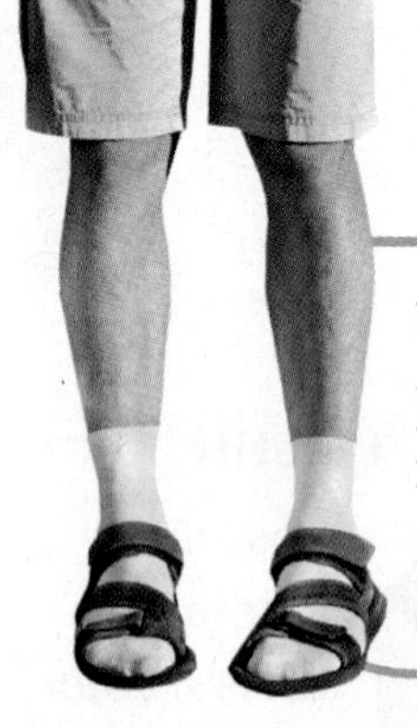

I sandali

Usati molto dalle donne, per gli uomini è meglio non indossare i sandali, soprattutto se portati con i calzini lunghi.

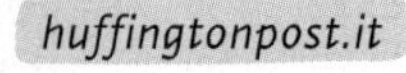

b  **Con l'aiuto delle immagini che avete visto, dite ai vostri compagni quali vestiti è possibile usare in città, e quali no, per gli uomini e per le donne.**

c  **E voi, che cosa pensate? Quali vestiti vi piacciono? Quali non vi piacciono? Perché?**

4 **Come funziona nel tuo Paese? Fai le attività.**

a **Cerca in Internet delle immagini (oppure fai dei disegni negli spazi) per descrivere come ti vesti nella tua città in estate e in inverno.**

INVERNO

b  **Confrontate le immagini e i disegni con i compagni. Ci sono molte differenze? Quali?**

5  **E ora si gioca! A coppie inventate e disegnate un vestito per l'inverno in città, comodo ma elegante (decidete voi se da uomo o da donna). Poi valutatevi. Vince la coppia che prende più voti. Per votare si usano i gesti: gesto 1 = 0 punti, gesto 2 = 1 punto, gesto 3 = 2 punti.**

1

2

3

iw PER SAPERNE DI PIÙ GUARDA I VIDEO **25**, **26** E **27**.

Lo sai che...

Ti piace la moda? In Italia esiste uno dei più interessanti musei di storia della moda del mondo. Si trova a Firenze, a **Palazzo Pitti**: è la Galleria del Costume, ed è tra i musei italiani più visitati. Ci sono vestiti e accessori antichi, ma anche della moda del Novecento.

Come sto?

1 **Abitudini e acquisti. Fate le attività.**

a **Che cosa fanno le due ragazze? Dove sono?**

b **In italiano ci sono tante espressioni che significano "fare shopping", indicate quelle corrette (√).**

1. fare spese ☐
2. fare la spesa ☐
3. fare le spese ☐
4. fare acquisti ☐
5. fare compere ☐
6. andare di acquisti ☐

c **E voi, come fate shopping? Rispondete alle domande.**

- Quando fate shopping?
- Da soli o in compagnia?
- In negozio o online?
- Che cosa vi piace comprare?

2 **Vi piace fare shopping? Fate le attività.**

a **Scrivi gli aggettivi di fianco al gesto a cui si possono riferire. Attenzione: puoi scrivere più aggettivi per ogni gesto!**

noioso ■ brutto ■ bello ■ stupendo ■ schifoso ■ orribile ■ pesante

1 ....

2 ....

3 ....

b **Guardate i video 28, 29, 30 e verificate le vostre ipotesi.**

c **Inventate e recitate un breve dialogo: assegnatevi un ruolo (studente A o studente B) e seguite le indicazioni. Alla fine invertite le parti.**

STUDENTE A

Chiedi al tuo compagno se ha voglia di fare shopping con te. Spiega dove vuoi andare e che cosa vuoi comprare.

STUDENTE B

Rispondi all'invito del tuo compagno usando insieme alle parole uno dei gesti che hai visto sopra.

3 I gesti e lo shopping. Fate le attività.

a **Guardate i gesti: li conoscete? Sapete quando gli italiani li usano? Guardate i video 31, 32, 33, 34 e verificate le vostre ipotesi.**

4

5

6

7

b **Due amiche, Emma e Francesca, sono in un negozio di abbigliamento. Leggete il dialogo con la commessa e indicate negli spazi quali gesti, tra quelli che avete visto, possono essere compiuti, inserendo i numeri da 1 a 7.**

Emma e Francesca Buongiorno!
Commessa Buongiorno! Se avete bisogno, chiedete.
Emma Cerco un vestito per un matrimonio: sono la testimone.
Commessa Che taglia porta?
Emma La 44.
Commessa Questo Le piace?
Emma Mhmm...
Francesca Anche a me non piace... ◯
Emma Qualcosa di più allegro?
Commessa Ecco un abito giallo a fiori!
Emma Eh...
Francesca Che schifo! ◯
Emma Qualcosa di più serio?
Commessa Questo vestito di solito piace molto: nero ed elegante.
Emma Nero? Ai matrimoni non si indossano vestiti neri!
Francesca Per me è ottimo! ◯
Emma E quello?
Francesca Che noia! ◯ Puoi fare un po' più veloce per favore?
Commessa Quello è un abito della collezione Armani: blu navy, in tessuto jacquard.
Emma Evviva! Questo è l'abito giusto!
Francesca Sei pazza??? Leggi il cartellino: costa 450 euro!
Emma Mi piace tantissimo!!!
Francesca Tu sei proprio matta! ◯
Emma Posso provare questo Armani?
Commessa Certo: il camerino* è in fondo a destra.
Alcuni minuti dopo...
Emma Come sto?
Francesca Benissimo! ◯
Commessa Sì, Le sta molto bene.
Emma Grazie, sono proprio contenta! ◯ Posso pagare con la carta di credito?
Commessa Certo. Una firma qui, grazie. Ecco a Lei lo scontrino!
Emma e Francesca Grazie e arrivederci!
Commessa Arrivederci e alla prossima!

* camerino: luogo per provare i vestiti.

c  **Ascoltate il dialogo senza leggere il testo precedente. Quando sentite le frasi o le espressioni che si possono associare a uno dei sette gesti, provate a fare il gesto che secondo voi è corretto. Ascoltate il dialogo più volte, fino a quando trovate la giusta sequenza dei gesti. Attenzione: a ogni ascolto l'insegnante elimina chi tra voi fa degli errori.**

4 Role-play in negozio. Fate le attività.

a  **Inventate e recitate un dialogo in un negozio di abbigliamento: uno di voi è il commesso, un altro è il cliente che deve comprare un vestito e il terzo è un amico che lo aiuta. Nel dialogo dovete usare i gesti: potete usare quelli che avete visto in queste pagine o altri che già conoscete. Seguite le indicazioni.**

IL COMMESSO (O LA COMMESSA)

Sei il commesso di un negozio di vestiti. Due persone entrano e ti chiedono aiuto per comprare un vestito elegante. Mostra tre vestiti differenti. Descrivi il colore, la taglia e il prezzo.

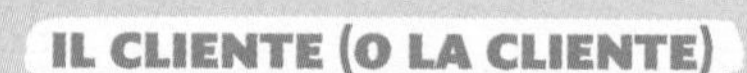

Devi comprare un vestito per un evento importante (un colloquio di lavoro, il primo giorno di scuola, una cena di lavoro, un matrimonio ecc.). Chiedi aiuto al commesso e all'amico che è con te. Descrivi il tipo di vestito che desideri: la taglia, il colore, il materiale ecc. Prova tre vestiti.

L'AMICO (O L'AMICA)

Vai in un negozio di vestiti con un amico che deve comprare un vestito nuovo. Dai dei consigli e aiuta il tuo amico a scegliere quale vestito prendere. Il secondo vestito che prova non ti piace per niente, gli altri sono più carini.

b Guardate e ascoltate i dialoghi recitati dai vostri compagni. Usano i gesti in modo corretto? Quali sono i gesti che secondo voi non vanno bene? Prendete appunti e date il vostro giudizio.

....

....

....

....

....

....

....

....

....

....

....

5 

E ora si gioca! Dividetevi in gruppi. A turno pescate un cartellino e leggete l'espressione verbale. Avete un minuto per decidere insieme quale gesto gli italiani associano all'espressione. Fate vedere il gesto ai compagni. Se il gesto è corretto, potete tenere il cartellino. Se è sbagliato, mettete il cartellino sotto il mazzo comune. Vince chi ha più cartellini!

MATERIALE A P. 122

Lo sai che...

GALATEO DEL MATRIMONIO: ABBIGLIAMENTO PER GLI INVITATI

Per lei Da evitare il bianco, che di solito è il colore della sposa, e tutti quei colori chiari (come il beige) che possono essere troppo simili all'abito della sposa. Meglio evitare anche i colori troppo forti come il rosso, il viola, l'oro e il nero, colore che di solito si usa ai funerali. Per non sbagliare, scegliete tinte pastello.

Per lui Abito scuro, grigio o blu, camicia bianca, calze e scarpe scure, e cravatta come piace a voi.

Vestiti parlanti

1 **Formale o informale? Fate le attività.**

a **Quali vestiti sono adatti per le occasioni informali? Quali per quelle formali? Ordinateli dal più informale al più formale collocandoli sulla linea dell'eleganza.**

b **Confrontate le vostre risposte con gli altri compagni.**

c **Prepara la linea dell'eleganza del tuo Paese: dall'abbigliamento usato in occasioni più informali (ad esempio una cena tra amici), a quello usato invece in situazioni più formali (ad esempio un matrimonio). Usa gli spazi per descrivere, disegnare o attaccare l'immagine dell'abbigliamento a cui ti riferisci.**

d **La linea dell'eleganza del vostro Paese corrisponde a quella italiana? E a quella dei vostri compagni?**

2 **Oggi la moda costruisce gli stereotipi della bellezza femminile e maschile attraverso le modelle e i modelli. Nel vostro Paese quali sono le qualità estetiche più importanti per donne e uomini? Parlatene a partire dalle parole indicate o aggiungendone altre, se vi è utile.**

- altezza
- peso
- corporatura
- età
- capelli
- forma del viso
- muscoli
- ....
- ....

3 **Modelle e modelli! Fai le attività.**

a **Leggi il testo.**

Modelle e modelli di oggi

Le modelle sono donne conosciute da tutti, ammirate e imitate. Alcune sono snob, altre "acqua e sapone". Tutte sono ricchissime: secondo la classifica della rivista *Forbes*, le modelle più famose guadagnano in un solo anno dai tre ai 44 milioni di dollari.

All'inizio degli anni Duemila, la moda diffondeva l'immagine di una donna sempre più magra, forse con lo scopo di mettere in risalto i vestiti e gli accessori che indossava. I corpi femminili che apparivano nelle riviste di moda proponevano un solo stereotipo di bellezza: la donna magra e tonica.

I tempi però stanno cambiando anche nella moda: negli ultimi anni, le donne formose ("*plus size*") trovano finalmente spazio sulle copertine di riviste internazionali, camminano sulle passerelle delle sfilate più importanti e rappresentano le maggiori case di moda. Molte di queste "nuove" modelle utilizzano i *social network*, come *Instagram*, per definire standard di bellezza più umani e per cercare di aiutare tutte le donne a sentirsi a loro agio in corpi di ogni dimensione.

E i modelli? Agli uomini è imposto oggi un unico modello estetico: giovane, muscoloso e atletico, con lo sguardo fiero e l'aspetto mediterraneo. Inoltre, da circa vent'anni, la cura del corpo maschile è diventata molto più profonda di un tempo. Molti uomini oggi si aggiustano le sopracciglia, si tingono i capelli bianchi e cercano di mantenere l'abbronzatura tutto l'anno.

b **Nel testo ci sono quattro aggettivi che possono essere espressi anche con un gesto. Collega ogni aggettivo al gesto corrispondente.**

a. magro ...... ◯
b. ricco ...... ◯
c. formoso ...... ◯
d. snob ...... ◯

1 2 3 4

c iw **Guardate i video 35, 36, 37, 38 e verificate le vostre ipotesi.**

4 Che magro! Fate le attività.

a **Nell'attività precedente, alla lettera b, avete osservato l'aggettivo *magro* e il gesto che si usa per esprimerlo. In italiano esistono molti modi di dire legati alla magrezza: quali conoscete?**

- magro come un'acciuga ...... ☐
- magro come un chiodo ...... ☐
- magro come un uscio ...... ☐
- magro come un lampione ...... ☐

b **Scrivete accanto a ogni immagine il modo di dire corrispondente.**

....

....

....

....

c **Confrontate le vostre risposte con la classe.**

5 Modelle e modelli italiani. Fate le attività.

a **Leggete le biografie dei modelli e associatele alle immagini dell'attività 1a.**

Chiara Baschetti Originaria di Sant'Ermete (Rimini), ha debuttato sulle passerelle di Emporio Armani, sfilando anche per Gaultier, La Perla e Fendi. Ha partecipato come attrice al film commedia *Ma che bella sorpresa* del regista Alessandro Genovesi. ◯

Bianca Balti La modella bruna con gli occhi azzurri, originaria di Lodi, a sud di Milano, vive a New York con la sua famiglia. Ha iniziato a sfilare a vent'anni per la campagna pubblicitaria internazionale di Dolce & Gabbana; da allora ha avuto una carriera in continua ascesa. ◯

Samuele Riva Questo modello di Milano ha collaborato con le più grandi case di moda internazionali: per Jean-Paul Gaultier vestiva i panni di un marinaio e poi è stato *testimonial* delle campagne pubblicitarie di Giorgio Armani. ◯

Mariacarla Boscono Nata in una famiglia di Roma attiva nel settore della moda, ha debuttato con Alberta Ferretti. Definita "impopolare", non ama la mondanità e preferisce rimanere misteriosa. Ha i capelli lunghi e neri, la carnagione chiara ed è sempre elegantissima. Recita anche a teatro. ◯

Mariano Di Vaio Cresciuto ad Assisi, si è poi trasferito in America per studiare recitazione. Tornato in Italia, ha lavorato per Cavalli, Omega e Hugo Boss. Ha anche aperto un fashion blog, seguito da migliaia di fan. Ama portare le camicie aperte. ◯

Simone Nobili Originario di Reggio Emilia, con il suo viso acqua e sapone e la sua faccia da bravo ragazzo è diventato l'idolo delle teenager. Diventato famoso grazie a una sfilata per Dolce & Gabbana, ha lavorato a Parigi per Givenchy. Ha sfilato anche sulle passerelle di Valentino, Cavalli e Calvin Klein. ◯

b In quali città sono nati i modelli e le modelle? Cercate le città nelle biografie e scrivete i loro nomi sulla carta dell'Italia.

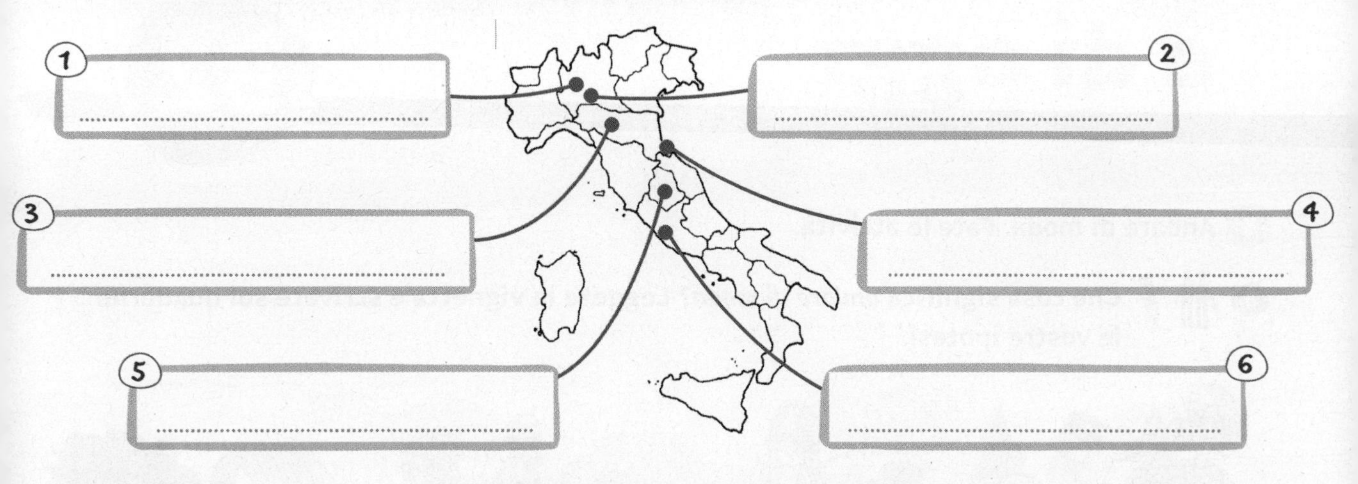

c Confrontate le vostre risposte con i compagni.

6 Nel tuo Paese c'è un modello o una modella famoso/a? Scrivi una sua breve biografia (città di nascita, aspetto fisico, case di moda per cui ha lavorato, perché è conosciuto/a). Se non conosci dei modelli, pensa a un personaggio famoso.

....

....

....

7 

E ora si gioca! Pescate un cartellino, leggete il nome del modello, guardate bene la foto e scrivete la sua biografia. Potete usare le informazioni che avete letto nell'attività 5, ma dovete anche aggiungerne altre, aiutandovi con i particolari delle foto. A turno leggete le biografie che avete scritto, senza dire il nome del modello o della modella: sono gli altri compagni a doverlo indovinare. Vince chi indovina il maggior numero di nomi.

MATERIALE A P. 123

Lo sai che...

CRAVATTA O *PAPILLON*? QUESTO È IL PROBLEMA! La **cravatta** da uomo è adatta a tutti i tipi di camicia con il colletto, soprattutto quello all'italiana. In alcuni ambienti di lavoro è obbligatorio portarla e, in questi casi, è meglio scegliere modelli a tinta unita o a righe; portata con abiti da cerimonia, la cravatta sta bene con il tight e con il mezzo tight. Il ***papillon***, detto anche "farfallino" o "cravatta a farfalla", è una variante della cravatta. Nella versione classica, è un accessorio molto elegante e chic: si indossa nero con lo smoking, bianco con il frac.

Tendenze di ieri e di oggi

B2

1 **Andare di moda. Fate le attività.**

a **Che cosa significa *andare di moda*? Leggete la vignetta e scrivete sul quaderno le vostre ipotesi.**

b **Confrontate con i compagni le vostre definizioni, decidete insieme quella più corretta e scrivetela alla lavagna.**

c **Quando vi vestite, preferite un abbigliamento che va di moda o seguite il vostro gusto personale? Parlatene insieme e spiegate il motivo della vostra scelta.**

2 **Come ti vesti? Fai le attività.**

a **Nel suo blog Bea pone una domanda interessante: "Quando ti metti vestiti che vanno di moda, ti chiedi mai se stai davvero bene?" Leggi le risposte di due lettrici e commentane almeno una, spiegando il tuo punto di vista.**

Valentina

Certamente! Mai vestirsi con un abito solo perché va di moda! Ad esempio, io non porto da anni gli shorts: ho 38 anni e dopo una certa età shorts e minigonne sono da evitare, anche se il fisico si mantiene bene. Credo che tutti noi dobbiamo sviluppare una capacità critica che ci permetta di capire ciò che può essere adatto alla nostra individualità. Scelgo sempre un capo che mi valorizzi!

Rispondi

Che mi valorizzi o no, amo da sempre seguire la moda. Indosso spesso degli shorts e mi piacciono da morire le minigonne, ne ho l'armadio pieno! Anche se tra poco meno di un mese farò 44 anni, non mi importa! Se una donna della mia età si sente bene in pantaloncini e vuole restare al passo con la moda, perché non dovrebbe metterli? Non ci vedo assolutamente niente di male.

....

....

....

b **Confronta il tuo punto di vista con i compagni.**

3 **Ieri, oggi e domani. Fate le attività.**

a **Guardate i gesti: quale significa "ieri"? Quale "domani"? Provate a mimarli.**

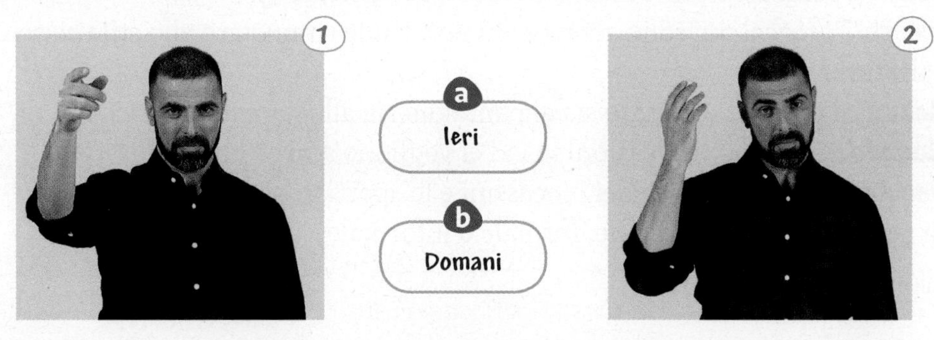

b **Guardate i video 39 e 40 e verificate se avete fatto bene i due gesti.**

c **Anche il gesto che vedi a fianco si riferisce al tempo. Secondo te, quale tempo esprime? Conosci espressioni verbali che possono accompagnarlo? Scrivile.**

4 **E nel vostro Paese si usano questi gesti? Esistono altri gesti che si riferiscono al tempo? Se sì, fateli vedere ai vostri compagni.**

5 **La moda nel tempo. Fai le attività.**

a **Pensa a un capo di abbigliamento che è andato, va o forse andrà di moda nel tuo Paese. Scrivi sul quaderno una sua breve descrizione senza dire quando è andato, va o andrà di moda.**

b **Ciascuno legge il testo che ha scritto e i compagni devono indovinare se il capo di abbigliamento è andato, va o andrà di moda. Per esprimersi si usano i gesti e non le parole!**

6 **Il mocassino: un classico! Fate le attività.**

a **Leggete il testo.**

Al passo con i tempi

I mocassini non passano mai di moda e in colori tenui sono perfetti per l'estate.

Che cosa? Sono i famosi mocassini, un tipo di scarpe che ricorda un po' quelle dei bebè. La coda di rondine bicolore è dei Fratelli Rossetti.
Per chi? I mocassini sono adatti a chi non vuole rinunciare allo stile classico nelle calzature.
Come? Si possono abbinare sia ai pantaloni sia alla gonna al ginocchio.
Quando? Si usano in occasioni in cui ci vogliono scarpe chiuse.
Perché? Lo stile classico dei mocassini e lo sportivo bicolore permettono di portarli in ogni occasione, formale o informale.

b **Nel vostro Paese ci sono capi d'abbigliamento o accessori che sono sempre attuali e che non passano mai di moda? Quali? Parlatene insieme.**

c **Scegli un capo d'abbigliamento o un accessorio che hai nominato, disegnalo e descrivilo aiutandoti con le domande.**

Che cosa? ....
Per chi? ....
Come? ....
Quando? ....
Perché? ....

d **Dite alla classe qual è il capo d'abbigliamento o accessorio che avete scelto. Scrivete l'elenco della classe alla lavagna: ci sono ripetizioni?**

  **E ora si gioca! Dividetevi in squadre e risolvete il cruciverba. Vince la squadra che lo completa per prima.**

ORIZZONTALI

2 Comportamento di un gruppo sociale che può cambiare nel tempo e che riguarda le usanze, i modi di vivere o l'abbigliamento
3 Pantaloncini femminili, particolarmente corti e aderenti
7 Gonna corta
8 Tipo di scarpa chiusa molto usata e apprezzata in Italia
9 Stile, preferenza
10 Sinonimo di *preferire*, *optare*
12 Sinonimo di *individuale*
15 Qualcosa che va di moda ora, oggi, adesso
16 Bambino molto piccolo, neonato

VERTICALI

1 Tipo di stile che non passa mai di moda
4 Il significato del gesto

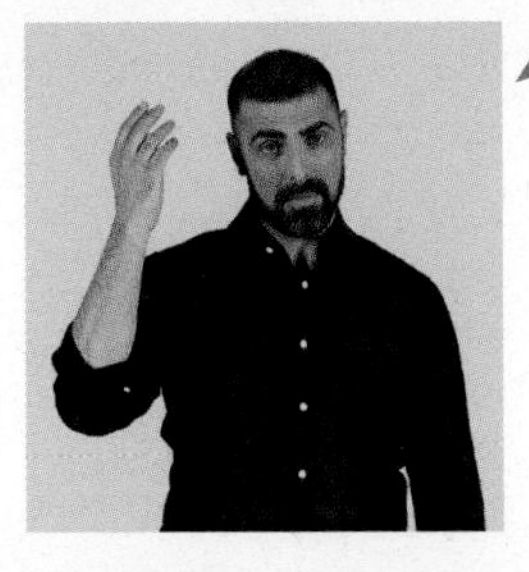

5 Parte del corpo che si trova sotto la coscia
6 Di due colori
11 Colore delicato
13 L'animale nell'immagine
14 Sinonimo di *combinare*, *accoppiare*

Lo sai che...

Il **mocassino** è una calzatura molto usata e apprezzata in Italia. Negli anni Sessanta era indossato specialmente nei colori blu e amaranto. Alla fine degli anni Settanta, Diego Della Valle, un imprenditore italiano, si rese conto che non esistevano scarpe di lusso da indossare quotidianamente, sia con abiti eleganti sia con completi casual, e introdusse i famosi mocassini con i gommini. Negli anni Ottanta, gli stilisti rinnovarono il mocassino, reinterpretandolo in fantasiose varianti, spesso realizzate in collaborazione con Fratelli Rossetti, un'azienda di moda italiana a conduzione familiare. Oggi esistono molti modelli di mocassino.

Animali di moda

1 **La *tag cloud* della moda. Fate le attività.**

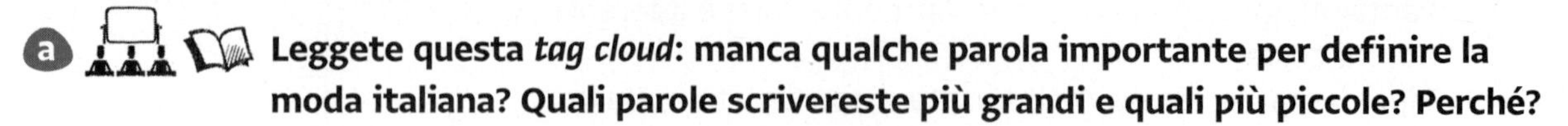

a **Leggete questa *tag cloud*: manca qualche parola importante per definire la moda italiana? Quali parole scrivereste più grandi e quali più piccole? Perché?**

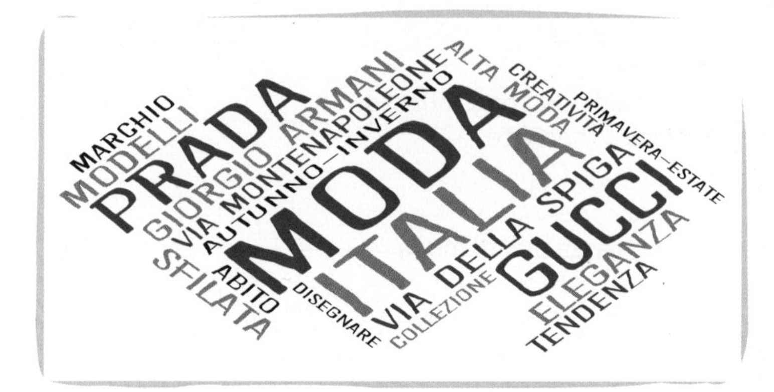

b **Preparate una *tag cloud* sulla moda del vostro Paese.**

c **Presentate la vostra *tag cloud* ai compagni. Tra le parole che avete scelto, quali sono quelle in comune e quali no?**

2 **Leggete l'opinione di una studiosa e rispondete alla domanda.**

Secondo Valerie Steele, studiosa di Storia della moda e direttrice del *Museum at the Fashion Institute of Technology* di New York, la moda è una "costruzione culturale".

▸ Nelle *tag cloud* dei vostri compagni sono emerse caratteristiche fisiche e comportamentali o nomi di vestiti e oggetti tipici della loro cultura? Se sì, quali?

3 I loghi del *Made in Italy*. Fate le attività.

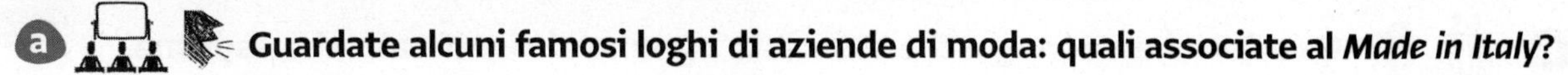

a **Guardate alcuni famosi loghi di aziende di moda: quali associate al *Made in Italy*?**

b **Questi tre loghi italiani contengono un animale: collegatelo alla descrizione che gli corrisponde e alla sua casa di moda.**

1.

a. Il logo del **levriero** ha un significato molto importante: il fondatore dell'azienda lo introdusse nel 1973 quando lo scelse come marchio di *lifestyle*. Oggi l'azienda ha un ampio campo di interessi, che abbracciano non solo la moda, ma anche l'arte, il design e il cibo, con nuovi progetti previsti per il futuro: il levriero è il perfetto connubio fra tradizione, eleganza, dinamicità e spirito di innovazione.

I.

2.

b. La sua moda fu subito amata non solo dalle star, ma anche dalla gente comune che trovò le sue collezioni in linea con le esigenze della moda dei tempi. La portabilità dei capi è da sempre la sua caratteristica più importante. Nel momento di maggior espansione, nel 1981, il suo fondatore intuì la necessità di creare collezioni meno costose e inaugurò un nuovo marchio con il celebre **aquilotto** come logo.

II. ARMANI

3.

c. Nel 1978 sorse il primo nucleo di un'azienda il cui successo consistette nel colorare il cashmere, fino a quel momento proposto principalmente in colori naturali. La sede dell'azienda è sempre stata nell'antico borgo di Solomeo. Uno dei tratti distintivi dell'azienda è proprio la sua sede: lo stemma del borgo e l'immagine del **castello** caratterizzano infatti il suo marchio.

III. TRUSSARDI

c **Confrontate le vostre risposte con i compagni.**

4 Animali ed emozioni. Fate le attività.

a **Guardate i quattro gesti e associate ognuno al significato che esprime.**

a. evitare la sfortuna ◯ **b.** paura ◯ **c.** disgusto ◯ **d.** augurare fortuna ◯

b **Guardate i video 41, 42, 43, 44 e verificate le vostre ipotesi.**

c **Gli animali possono suggerire emozioni diverse o essere associati a forme di superstizione. Collega ogni gesto dell'attività 4a a uno o più animali.**

a. coccodrillo ◯

b. coccinella ◯

c. gufo ◯

d. cavallo ◯

e. geco ◯

f. cane ◯

g. gatto nero ◯

h. coniglio ◯

d **Confronta le tue risposte con i compagni.**

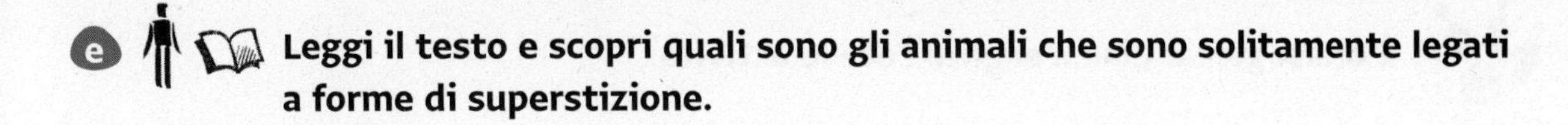

e **Leggi il testo e scopri quali sono gli animali che sono solitamente legati a forme di superstizione.**

GATTO NERO In passato i gatti neri sono stati spesso associati alle streghe, di cui erano considerati gli aiutanti.
I motivi erano vari: il loro pelo lucente, gli occhi chiari (contrastanti con il pelo scuro), il loro essere quasi invisibili al buio. Oggi è ogni tanto espressa, perlopiù scherzosamente, la convinzione che i gatti neri portino sfortuna. Secondo una superstizione anglosassone, però, incontrare un gatto nero il giorno delle nozze assicurerebbe un'unione felice.

CONIGLIO Nella tradizione americana si usa regalare (o portare con sé) come portafortuna la zampa sinistra essiccata di un coniglio.

GUFO Per le sue abitudini notturne, per il verso cupo e per il suo essere un animale solitario, il gufo è ritenuto l'"uccello del malaugurio". In italiano il verbo *gufare* significa proprio "portare sfortuna". In altre parti del mondo, invece, il gufo porta fortuna: in Brasile e in Spagna si trovano addirittura raffigurazioni in ceramica di questi uccelli, che sono considerate di buon auspicio per il futuro.

CANE Nell'antica Grecia si pensava che una leccata di cane sulla mano allungasse la vita. Oggi si associa il cane all'idea di fedeltà.

GECO Nelle regioni dell'Italia meridionale, dove il geco è diffuso, si crede che, se tale animale cammina sulla pancia di una donna incinta, possa causare l'aborto o la malformazione del feto. Considerato portatore di sfortuna, il geco è quindi ucciso o cacciato di casa. In Abruzzo, al contrario, il geco è ritenuto un portafortuna: quando una persona è molto fortunata, si dice che "ha un geco in tasca".

f **Conosci altri animali che portano fortuna o sfortuna? Parlane con i compagni.**

5 La moda nel mondo. Fai le attività.

a **Nel tuo Paese esiste una famosa azienda di moda? Qual è? Com'è il suo marchio? Descrivilo.**

....

....

....

....

....

b **Descrivi il marchio ai compagni.**

6 E ora si gioca! Ciak... si gira! Fate le attività.

a Dividetevi in squadre. Ognuna deve fondare un'azienda. Scegliete un animale da usare nel vostro logo, il nome dell'azienda e il prodotto che volete vendere. Girate poi un breve spot pubblicitario con un telefono o una videocamera. Preparatevi sviluppando la vostra idea, stendendo la sceneggiatura e i dialoghi, e decidendo chi tra i membri della squadra fa l'attore e chi, invece, dirige le scene.

b Il gioco si conclude con una cerimonia di premiazione ispirata agli Oscar. Guardate tutti gli spot dei compagni e votate le seguenti categorie: miglior pubblicità, miglior sceneggiatura, miglior attore, miglior attrice e miglior idea originale.

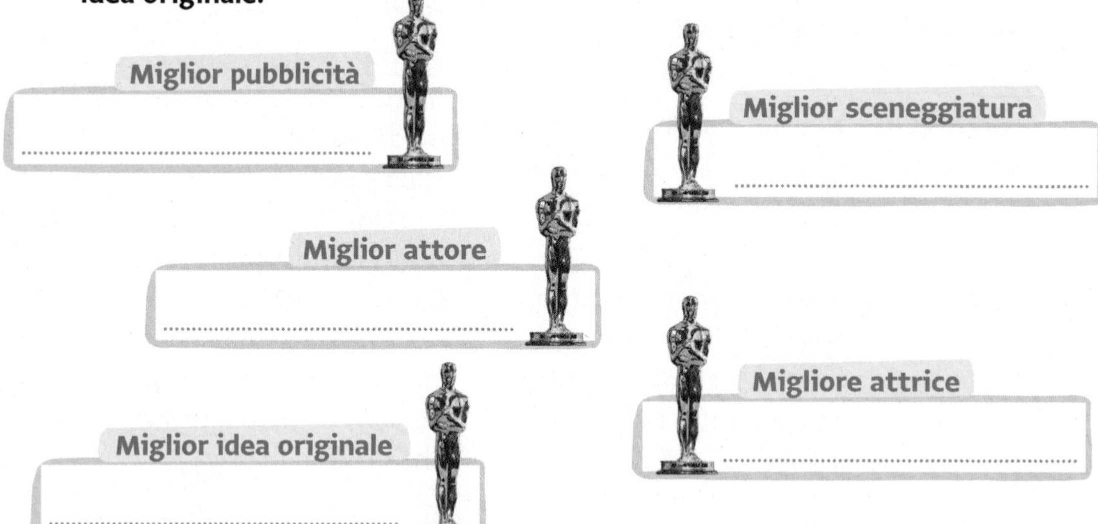

Lo sai che...

Sono due i film recenti ispirati e/o dedicati alla moda italiana: **Valentino: l'ultimo imperatore** (2009) e **The Director** (2013), quest'ultimo sulla casa di moda Gucci.
Una vetrina altrettanto importante per la moda italiana, oltre al cinema, è offerta dalle serie tv. In **Commesse**, serie televisiva ambientata a Roma, un gruppo di amiche gestisce una boutique frequentata da una clientela molto esigente.
Atelier Fontana (2011), invece, è una miniserie che racconta le vite delle sorelle Fontana, tre sarte che, partendo da Traversetolo (Parma), arrivano a confezionare i vestiti delle dive di Hollywood, diventando, in pochissimo tempo, emblema di qualità nel mondo della sartoria.
Il paradiso delle signore racconta l'Italia degli anni Cinquanta attraverso le vicende di un grande magazzino che apre nella Milano del boom economico. Tra capi d'abbigliamento di alta qualità e grandi firme si intrecciano storie d'amore e di riscatto sociale.

Italiani, strana gente

Le misure degli italiani

1 **La descrizione fisica. Fate le attività.**

a **Guardate le immagini e scrivete una breve descrizione delle persone elencando le caratteristiche che vedete (occhi, capelli, carnagione e corporatura).**

b **Confrontate le vostre descrizioni con i compagni.**

2 **Com'è l'italiano "tipico"? Fate le attività.**

a **Completate le schede delle caratteristiche fisiche tipiche dell'uomo e della donna italiani.**

Il "tipico" uomo italiano

occhi: ....

capelli: ....

carnagione: ....

corporatura: ....

La "tipica" donna italiana

occhi: ....

capelli: ....

carnagione: ....

corporatura: ....

b **Confrontate quello che avete scritto con i compagni. Ci sono molte differenze?**

c Guardate le immagini. Secondo voi, sono persone italiane? Perché?

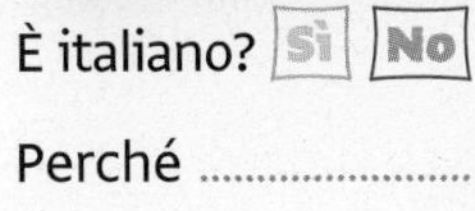

1	2	3	4	5
È italiano? Sì No	È italiana? Sì No	È italiano? Sì No	È italiana? Sì No	È italiano? Sì No
Perché	Perché	Perché	Perché	Perché ....
....	....	....	....	....

d Confrontate le vostre risposte con i compagni.

3 Guardate i gesti e fate le attività.

a In Italia questi due gesti sono usati per descrivere fisicamente una persona. Secondo voi, che cosa significano (✓)?

1

a. alto ◯
b. basso ◯
c. grasso ◯
d. magro ◯

2

a. alto ◯
b. basso ◯
c. grasso ◯
d. magro ◯

b Guardate i video 45 e 46 e verificate le vostre ipotesi.

4 Ancora gesti... Fate le attività.

a Guardate i gesti. Quale significato esprimono?

1 ....
....
....

2 ....
....
....

3 ....
....
....

b Confrontate le vostre risposte con i compagni.

5 **I gesti nel vostro Paese. Fate le attività.**

a **Rispondete alle domande.**

- Nel vostro Paese usate i gesti che avete visto nella pagina precedente?
- Nel vostro Paese ci sono altri gesti che usate per le descrizioni fisiche?
- Se sì, quali? Fateli o disegnateli.

b **Confrontate le vostre risposte con i compagni.**

6 **Quanto misurano gli italiani? Fai le attività.**

a **Leggi l'articolo.**

Altezza e peso: quali sono le misure degli italiani?

Secondo uno studio sulla popolazione italiana, la **statura media** degli uomini italiani è di 1,75 m, quella delle donne di 1,62 m. L'altezza media è maggiore al Nord e al Centro e minore al Sud. Negli anni dello sviluppo fisico, il tipo di alimentazione, le condizioni igieniche, le malattie e perfino l'attività fisica possono influire sulla statura che una persona raggiunge in età adulta.

Italiano medio
- altezza 1,75 cm
- peso 78,8 kg

Italiana media
- altezza 1,62 cm
- peso 62,7 kg

linkiesta.it

b **Le affermazioni sono vere o false (✓)? Se sono false, correggile.** ATTIVITÀ SEMPLIFICATA A P. 124

1. L'uomo italiano è alto mediamente un metro e sessantacinque. V F

....

2. La donna italiana pesa mediamente settantasette chili. V F

....

3. Al Nord e al Centro gli italiani sono mediamente più alti. V F

....

4. Quello che una persona mangia da bambino e da ragazzo non influisce sulla statura che raggiunge quando è adulta. V F

....

c **Confrontate le vostre risposte con i compagni.**

7 **E nel tuo Paese? Fate le attività.**

a **Fate una breve ricerca: quanto sono alti mediamente gli uomini e le donne nel vostro Paese? Quanto pesano? Generalmente, di che colore hanno gli occhi e i capelli? E la carnagione?**

b **Presentate la vostra ricerca ai compagni.**

8 **E ora si gioca! Il *collage* del viso italiano. Fate le attività.**

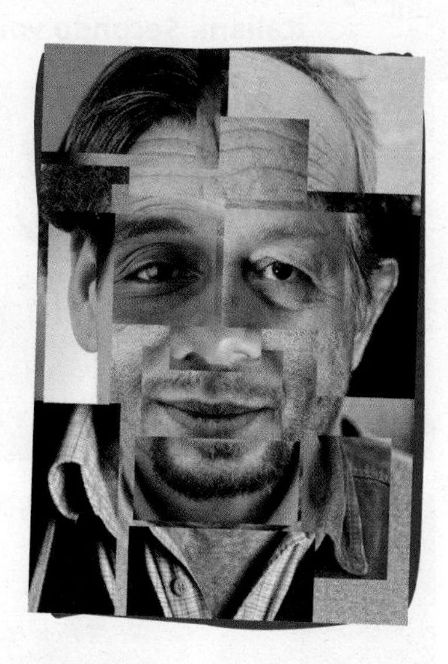

a **Cercate su giornali e riviste (o in Internet) immagini di visi. Ritagliate occhi, capelli, bocche e nasi. Su un foglio, con i ritagli, create i *collage* dei visi tipici dell'uomo e della donna italiani. Poi scrivete un breve testo per descriverli. Infine, appendete il vostro foglio alla parete della classe per mostrarlo ai compagni.**

b **Osservate i collage dei compagni, votate quelli più belli e spiegate il perché del vostro giudizio. Vince il gruppo che riceve più voti.**

Lo sai che...

COSÌ VICINI, COSÌ DIVERSI

Secondo uno studio dell'Università Sapienza di Roma, l'Italia è il Paese europeo con la maggiore **diversità genetica** nella popolazione. Lo studio dice che la diversità genetica tra gli italiani che vivono in Sardegna e quelli che vivono sulle Alpi è maggiore di quella che c'è tra i portoghesi e gli ungheresi, che vivono in Paesi agli angoli opposti dell'Europa.

Ma quante famiglie!

1 **Famiglie nella pubblicità. Fate le attività.**

a Guardate le immagini di famiglie provenienti da quattro pubblicità di prodotti italiani. Secondo voi, quale descrive meglio la famiglia italiana? Perché?

1

2

3

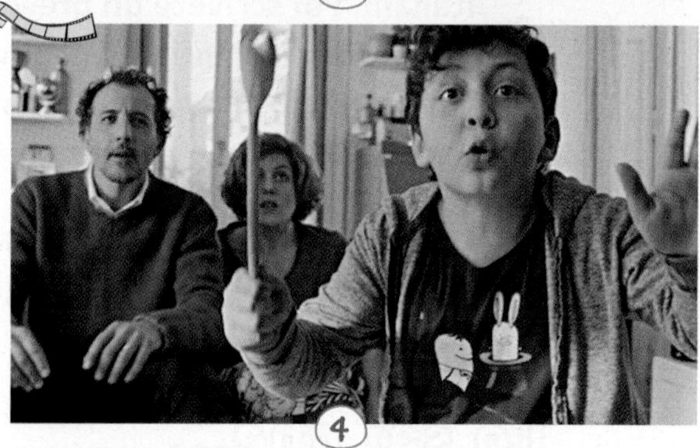

4

b Elencate le caratteristiche che secondo voi descrivono la famiglia italiana tradizionale.

La famiglia italiana tradizionale

....

....

c Confrontate le vostre risposte con i compagni. Ci sono molte differenze?

2 **Come cambia la famiglia italiana? Fate le attività.**

a Leggete il titolo dell'articolo. Secondo voi, come può essere la "nuova famiglia italiana"?

La famiglia nella pubblicità: verso una "nuova famiglia italiana"?

b Confrontate le vostre risposte con i compagni.

c Leggi l'articolo.

TESTO SEMPLIFICATO A P. 124

In passato, in Italia si conosceva un solo tipo di **famiglia**: quella tradizionale, composta da padre, madre e figli. Oggi la situazione è molto cambiata: ci sono coppie sposate con figli (cioè la famiglia tradizionale) che, secondo le statistiche, rappresentano ancora la maggior parte delle famiglie italiane; ma ci sono anche coppie senza figli, famiglie monogenitoriali, coppie non sposate, coppie formate da persone dello stesso sesso e famiglie "allargate", cioè famiglie formate da due persone che hanno già avuto un matrimonio e dei figli con altre persone. Per adeguarsi alla società di oggi e al grande numero di famiglie non tradizionali, alcune aziende italiane hanno creato nuove forme di *marketing*: in questi casi, i protagonisti delle pubblicità sono famiglie molto diverse dal vecchio **stereotipo.** Ci sono però altre aziende che per il loro *marketing* preferiscono continuare a usare l'immagine della famiglia tradizionale.

d Rispondete alle domande.

- Quali sono le nuove famiglie italiane di cui si parla nell'articolo?
- Che tipo di famiglia scelgono le aziende per vendere i loro prodotti in Italia?
- E nel tuo Paese, ci sono nuove famiglie come in Italia?

3 Una pubblicità italiana. Fate le attività.

a Cercate in Internet il video dello spot commerciale che si intitola ***Statistiche – Passata rustica***, guardatelo e rispondete alle domande.

1. Che tipo di famiglia è? Perché? ....

....

2. Secondo voi, il figlio vive con i genitori? Perché? ....

....

b Confrontate le vostre risposte con i compagni.

c Guardate un'altra volta lo spot e rispondete alle domande (√).

1. Uno dei personaggi "alza gli occhi al cielo". Chi è?
   a. La madre. ☐
   b. Il padre. ☐
   c. Il figlio. ☐

2. Secondo voi, perché "alza gli occhi al cielo"?
   a. Perché è felice. ☐
   b. Perché è d'accordo. ☐
   c. Perché non approva la situazione. ☐
   d. Perché ha capito che la situazione non può cambiare. ☐

d Confrontate le vostre risposte con i compagni.

4 **Gesti in famiglia. Fate le attività.**

a **Guardate i gesti, li conoscete? Sapete quando gli italiani li usano?**

1

2

3

4

b **Guardate i video 47, 48, 49, 50 e verificate le vostre ipotesi.**

c **Leggete il testo che descrive una scena in famiglia e rispondete alle domande.**

In casa dei signori Rossi

In cucina, il signor Rossi sta preparando da mangiare mentre le due piccole figlie stanno giocando sul tappeto, gridando a voce altissima. Il signor Rossi si arrabbia e dice alle bambine di venire immediatamente da lui per sgridarle. Le due sorelle interrompono il gioco, si alzano e si guardano complici. Poi vanno dal loro papà.

1. Secondo voi, quale gesto può usare il signor Rossi? Insieme al gesto può dire qualcosa? Che cosa?

....

....

2. Secondo voi, quale gesto possono usare le due sorelle? Insieme al gesto possono dire qualcosa? Che cosa?

....

....

d **Confrontate le vostre risposte con i compagni.**

5 Quale membro della famiglia, quale gesto? Fai le attività.

a **Con quale membro della tua famiglia useresti questi gesti? Indicalo nella casella corrispondente (✓).**

Gesti in famiglia									
Madre	☐	☐	☐	☐	Nonno	☐	☐	☐	☐
Padre	☐	☐	☐	☐	Nonna	☐	☐	☐	☐
Sorella	☐	☐	☐	☐	Zio	☐	☐	☐	☐
Fratello	☐	☐	☐	☐	Zia	☐	☐	☐	☐

b **Confronta le tue scelte con i compagni spiegando le tue motivazioni.**

c **Nel tuo Paese, in famiglia, si usano questi gesti? Ci sono altri gesti che esprimono lo stesso significato? Ci sono gesti che non si possono usare in famiglia?**

6 **E ora si gioca! Create la vostra pubblicità.**

a **Scegliete un prodotto italiano e preparate un manifesto, con foto o disegni, e un breve slogan per pubblicizzarlo: la famiglia deve essere protagonista della vostra pubblicità. Appendete il vostro manifesto alla parete della classe per mostrarlo ai compagni.**

b **Osservate i manifesti dei compagni: quale prodotto è meglio pubblicizzato? Usate la moneta del gioco per comprarlo. Vince il gruppo che riceve più monete.**

RITAGLIA LA MONETA A P. 124

Lo sai che...

LA "FAMIGLIA MULINO BIANCO" *Mulino Bianco* è un famoso marchio italiano di biscotti e merendine*. Da anni le sue pubblicità rappresentano **famiglie felici**, che ogni mattina fanno colazione insieme, con latte e biscotti: i genitori sono gentili e sorridenti e i bambini belli, bravi, ordinati ed educati. Da queste pubblicità è nata l'espressione **"una famiglia *Mulino Bianco*"**, che si usa per indicare una famiglia felice, senza problemi o contrasti al suo interno.

*

Tiè!

1 **Scaramanzia italiana. Fate le attività.**

a **Guardate i disegni: secondo voi, in Italia, quali rappresentano situazioni che portano sfortuna?**

b **Confrontate le vostre risposte con i compagni.**

c **Completate la lettera con le parole indicate. Attenzione: ci sono due parole in più!**

ombrello ▪ sale ▪ scale ▪ cappello ▪ capello ▪ tavola

Caro Adam,

finalmente ti scrivo dall'Italia! Sono qui da appena una settimana e ho già fatto tante interessanti scoperte! Ora ti racconto: vivo a Perugia con una famiglia italiana. Grazie a loro ho imparato che c'è una bella differenza tra **superstizione** e **scaramanzia**: la superstizione è la credenza irrazionale che gli eventi futuri dipendano magicamente da comportamenti e situazioni attuali, mentre la scaramanzia è fatta di oggetti e gesti che scacciano la sfortuna dal nostro destino. Anche in Danimarca siamo superstiziosi, ma non così tanto!

Ad esempio, in casa: in Italia, se **si rovescia il** .... , bisogna subito gettarne alle spalle tre pizzichi. Anna, la mamma della famiglia con cui abito, mi ha spiegato che gli antichi Romani, dopo una battaglia, lo spargevano sulle terre degli sconfitti per rendere il terreno sterile e improduttivo. Da allora è nata l'idea che porti sfortuna e povertà. Invece per noi danesi non è importante il sale; se però durante l'anno rompiamo una tazzina, un piatto o una scodella, non gettiamo i cocci* nella spazzatura, ma li teniamo fino a Capodanno e per scaramanzia solo quella notte li buttiamo.

Un giorno sono tornato a casa dopo lezione: pioveva molto e così ho aperto l' .... in bagno per farlo asciugare. Pietro, il marito di Anna, **lo ha subito chiuso**: mi ha detto che la casa ha un tetto e perciò non c'è ragione di aprirlo in casa se non si vuole attirare la sfortuna.

Una cosa simile è successa quando sono tornato da una partita di baseball e ho appoggiato il .... **sul letto**. Matteo, il figlio di Anna e Pietro, lo ha messo immediatamente sull'attaccapanni. Porta male posarlo sul letto, perché in passato era il medico che faceva visita a un malato, o il prete che andava a casa di una persona che stava morendo, a posarlo sul letto.

Ieri sera Anna e Pietro hanno invitato degli amici a cena: eravamo in **13** (il loro amico Francesco era ammalato e non è potuto venire). Anna era preoccupatissima: sedersi in 13 a .... porta molta sfortuna! Questa superstizione si lega alla tradizione cristiana e, in particolare, all'Ultima cena, in cui erano presenti Gesù e i 12 apostoli, incluso il traditore Giuda. La situazione si è risolta presto: Laura, una delle invitate, è una dottoressa e l'ospedale l'ha chiamata per un'urgenza, quindi abbiamo potuto mangiare in 12. Pericolo scampato!

Bene, per oggi è tutto.
Ti riscrivo presto con altre curiosità sull'Italia,
Lars

*

d **Confrontate le vostre risposte con i compagni.**

2 **E nel tuo Paese? Fai le attività.**

a **Leggi le superstizioni di alcuni Paesi e associa i testi agli oggetti.**

1

Brian, statunitense

Avere le finestre di casa storte è un bene, così le streghe non possono entrare. È una credenza del XIX secolo quando negli Stati Uniti, e in particolare nel Vermont, si pensava che le streghe esistessero.

2

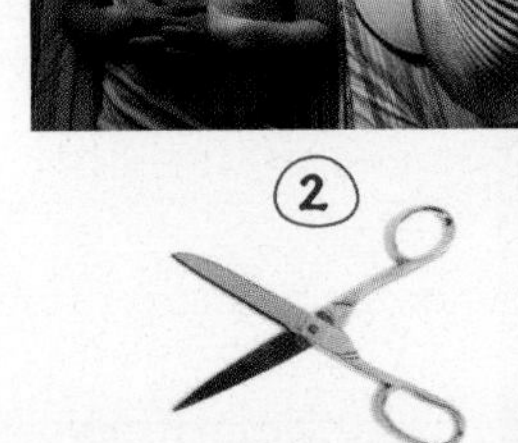

Haneul, coreano

Dormire con un ventilatore acceso in una stanza chiusa porta sfortuna. La "morte da ventilatore" è una paura diffusa in Corea, per questo molti ventilatori hanno lo spegnimento automatico.

3

Aisha, egiziana

Mettere un paio di forbici sotto il cuscino porta bene, perché scaccia i brutti sogni; invece, lasciare le forbici con le lame aperte porta male.

b Intervista un tuo compagno.

- Nel tuo Paese, siete superstiziosi?
- Nel tuo Paese, esiste la superstizione in casa?
- Nel tuo Paese, c'è un oggetto che porta bene in casa?
- Nel tuo Paese, c'è un oggetto che porta male in casa?

c **Confrontate le vostre risposte con i compagni e preparate un cartellone con le foto o i disegni di tutti gli oggetti che portano bene e che portano male in casa.**

3 Gesti scaramantici. Fate le attività.

a **Gli italiani usano spesso tre gesti scaramantici. Guardate i disegni e rispondete alle domande.**

- Secondo voi, che cosa significano questi gesti?
- In quali situazioni si usano?

b iw **Guardate i video 51, 52, 53, verificate le vostre ipotesi e completate la tabella con le informazioni corrette.**

Gesti scaramantici	Quando si usa?	Con quali espressioni verbali?	Qual è il registro (formale, informale o volgare)?
1	....	....	....
2	....	....	....
3	....	....	....

c **Associa le espressioni alle frasi. Attenzione: a ogni espressione puoi associare anche più di una frase.**

1. tocco ferro!
2. cornuto!
3. accidenti a te!
4. tiè!

a. È l'abbreviazione di *tieni!*
b. Si usa sempre nel registro volgare.
c. Si usa nel registro informale.
d. Ha tre significati: provvisto di corna; chi è tradito dal partner; espressione di un insulto generico.
e. Viene dalla parola *accidente* che significa "colpo, malanno".
f. Si dice perché si pensava che il ferro di cavallo fosse un portafortuna in grado di tenere lontane le streghe.

d **Completa il testo con le parole indicate.**

legno ■ rosso ■ ferro

CHE COSA TOCCO? In tanti Paesi si tocca qualcosa per scaramanzia.
In **Italia** si "tocca ....". È un'abitudine che deriva dal Medioevo: allora, per allontanare la sfortuna da una casa si fissava sulla porta d'ingresso, con un numero dispari di chiodi, un ferro di cavallo con le due estremità rivolte verso l'alto.
In **Inghilterra** e in altri **Paesi nordici**, si "tocca ....". L'origine è probabilmente nella credenza pagana che degli spiriti benevoli vivano negli alberi o, forse, risale a un gioco da bambini, nel quale toccando un legno ci si salvava.
In **Grecia**, se due persone pronunciano la stessa parola nello stesso momento, per scaramanzia devono dire "tocca ...." e contemporaneamente toccare qualcosa di questo colore.

4 **E ora si gioca! Indovina che cos'è. A turno pescate un cartellino dal mazzo dell'insegnante. Guardate l'immagine e, senza farla vedere ai compagni e senza pronunciare le parole vietate, descrivetela ai vostri compagni che devono indovinare di che cosa si tratta. Vince chi indovina più parole.**

MATERIALE A p. 125

Lo sai che...

IL CALENDARIO SCARAMANTICO "Di Venere e di Marte non ci si sposa e non si parte né si dà principio all'arte", dice un proverbio. La sua origine è curiosa: in parte medioevale e in parte romana, in parte cristiana e in parte pagana. Secondo i Vangeli, il venerdì è il giorno della crocifissione di Gesù Cristo e, per questo motivo, nel Medioevo era un giorno di penitenza: quel giorno chi rideva era punito. La punizione non era inflitta subito, ma la domenica, giorno della resurrezione di Gesù Cristo.
Il martedì era un giorno considerato sfortunato dai Romani, dal momento che era dedicato a Marte, il dio della guerra. Inoltre, il calendario romano distingueva i giorni fausti*, favorevoli all'inizio di nuove attività e durante i quali si poteva amministrare la giustizia, dai giorni infausti, in cui era invece sconsigliato cominciare una nuova attività.

* fausto deriva dal latino *faustus* che significa favorevole.

Italia su, Italia giù

1 **Nord o Sud? Fate le attività.**

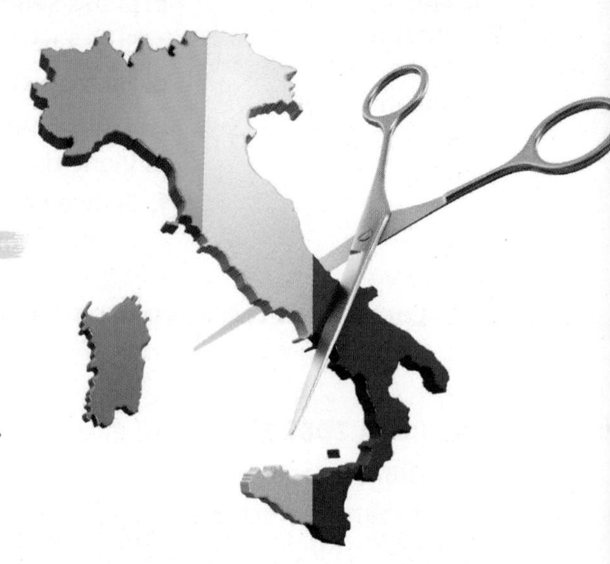

a  **Leggete i cartellini che vi dà l'insegnante e decidete quale si riferisce all'Italia del Nord e quale all'Italia del Sud.** MATERIALE A p. 126

b  **Dite ai compagni quali caratteristiche avete associato all'Italia del Nord e quali all'Italia del Sud, motivando le vostre scelte.**

2 **Cena tra amici. Fate le attività.**

a  **Ascoltate un dialogo tra amici e rispondete alle domande.**

1. Chi è Gaetano? ....
2. Qual è il suo problema? ....

b  **Confrontate le vostre risposte con i compagni.**

c **Ascoltate di nuovo il dialogo. I tre amici parlano di italiani del Nord e italiani del Sud. Come li descrivono?**

d **Confrontate le vostre risposte con i compagni.**

3 E nel tuo Paese? Ci sono differenze tra chi vive a Nord e a Sud, oppure a Est e a Ovest? Se sì, scrivi la lista di quelle principali (carattere, modo di parlare, gestualità, stile di alimentazione ecc.).

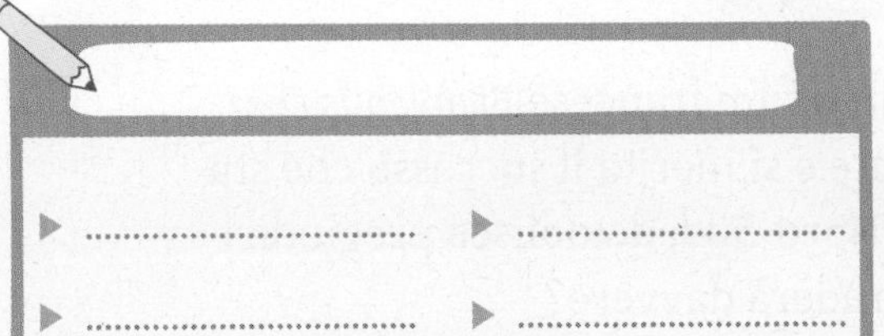

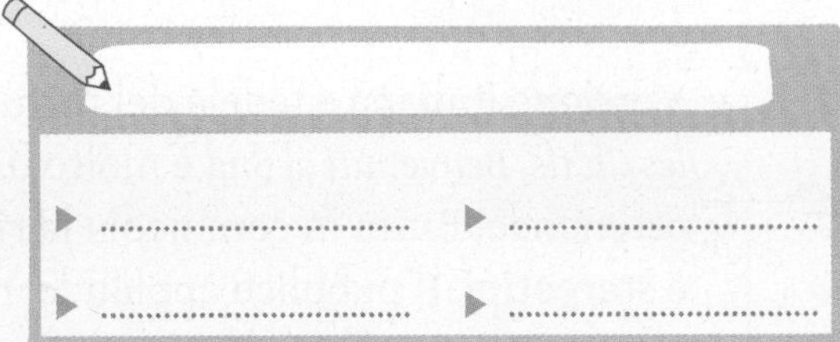

4 Diciamolo a gesti! Fate le attività.

a Associate le espressioni contenute nel dialogo che avete ascoltato ai gesti.

1. Fammi pensare...
2. Ma che è?!
3. Ho una fame da lupi!
4. Da leccarsi le dita!
5. Saranno sicuramente al bacio!

b Ci sono dei gesti che non conoscete? Guardate i video 54-58 e verificate le vostre ipotesi.

5 Benvenuti al... Fate le attività.

a *Benvenuti al Sud* (2010) e *Benvenuti al Nord* (2012) sono due film del regista Luca Miniero. Guardate le locandine e fate delle ipotesi sull'argomento dei film.

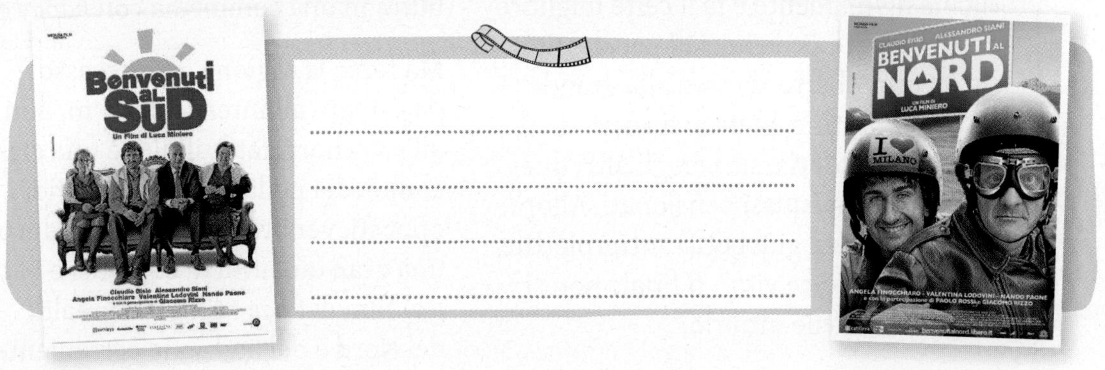

b Cercate in Internet e guardate i *trailer* dei due film per verificare le vostre ipotesi.

c I due film, e in particolare *Benvenuti al Sud*, hanno riscosso molto successo tra il pubblico. Secondo voi, perché?

d Leggete il testo.

Benvenuti al Sud con 30 milioni di incasso è il film dell'anno

Versione italiana e fedele del fortunatissimo film francese *Bienvenus chez les Ch'tis*, *Benvenuti al Sud* è molto divertente e si merita il successo che sta ottenendo. Butta in commedia la rivalità Nord-Sud, demolisce pregiudizi e stereotipi. Il pubblico applaude, ma ci crederà davvero?

Il successo a sorpresa del film non è per niente immeritato. Si ride e **si ride molto**. Si segue con divertimento e anche con partecipazione la storia di **Alberto** che, direttore in un ufficio postale nella periferia di Milano, si finge disabile per ottenere il desiderato trasferimento a Milano, dove l'ambiziosa moglie Silvia vuole tornare a vivere. Smascherato, Alberto è mandato per punizione **al Sud**, in uno sperduto paesino campano: Castellabate.

Chi ha visto il film sa come la storia si sviluppa e va a finire: Alberto, con tutti i suoi pregiudizi sui meridionali, arriva a Castellabate e scopre che è un **posto meraviglioso** e che ci si sta molto bene. La gente avrà anche le sue abitudini, ma cucina divinamente e fa il caffè migliore del mondo. Dopo le iniziali perplessità, sul lavoro Alberto si trova alla grande sia con il postino, Mattia, sia con l'impiegata, Maria, sia con gli altri due colleghi, ormai quasi pensionati. Allora, Alberto molla il giubbotto antiproiettile e si dà alla "dolce vita". Il finale non si svela, ma è facile intuirlo.

Il messaggio del film c'è ed è chiaro: superiamo i pregiudizi e le incomprensioni, **l'Italia è una** ed è bella proprio per le sue differenze; impariamo quindi a conoscerci, a rispettarci e ad andare d'accordo.

Com'è possibile che questo inno all'Italia funzioni così bene in un momento in cui il Paese è politicamente, economicamente e socialmente così diviso? Il distacco tra Nord e Sud è oggi molto evidente: il divario di reddito e ricchezza, anziché diminuire, si accentua, i mali del Sud sembrano irrimediabili, criminalità organizzata in testa, e poi la divisione politica è un rischio molto serio. C'è allora chi ha visto nello sbalorditivo successo del film il segno che, in realtà, il **sentimento nazionale** regge ed è in buona salute. C'è, invece, chi ha visto nel film solo un prodotto ben fatto che prende i soliti pregiudizi Nord-Sud e li butta in una commedia con *happy end*.

Ma forse la ragione del successo è da cercare all'interno del film, non all'esterno: infatti, il film è una classica commedia nella quale due mondi opposti, venuti a contatto, producono una gran quantità di equivoci e battute. Nel film di Luca Miniero le realtà del Nord e del Sud sono certamente banalizzate e appiattite, ma in fondo va bene così: è cinema, non un trattato di sociologia. *Benvenuti al Sud* è una **favola**, e ogni tanto ci vogliono anche quelle.

nuovocinemalocatelli.com

6 **E ora si gioca! Differenze tra Nord e Sud. Fate le attività.**

a **Preparate un dialogo seguendo le indicazioni, poi recitatelo ai compagni.**

Una conversazione a cena

ARGOMENTO: le differenze tra Italia del Nord e Italia del Sud *(famiglia, alimentazione, lavoro, clima ecc.).*

ESPRESSIONI: il dialogo deve contenere almeno quattro espressioni associabili a un gesto *(attenzione: non dovete fare i gesti!).*

PERSONAGGI: *(assegnate a ciascuno di voi uno dei personaggi indicati)*

Raffaele: italiano del Sud, cuoco, padre di tre bambini, appassionato di calcio, ironico
Luigi: italiano del Nord, insegnante, *single*, appassionato di videogiochi, chiassoso
Beatrice: italiana del Sud, parrucchiera, *single*, appassionata di viaggi, curiosa
Marina: italiana del Nord, segretaria, madre di una bambina, appassionata di cucina, tranquilla

b **Ascoltate i dialoghi dei compagni e appuntate le espressioni che possono essere associate a un gesto. Alla fine, leggete la vostra lista e fate i corrispondenti gesti. Il gruppo che ne indovina il maggior numero vince.**

....

....

....

....

Lo sai che...

TERRONI E POLENTONI In qualche caso, gli italiani del Nord usano una parola volgare e offensiva (che a volte può essere usata anche in maniera scherzosa) per riferirsi agli italiani del Sud: **terroni**. Molte sono le ipotesi sulla sua provenienza: secondo alcuni, in origine significava "mangiatori di terra", con un possibile legame con la parola spagnola *terrón*, "zolla di terra"; secondo altri, significava, invece, "persone dalla pelle di colore scuro, simile a quello della terra"; altri ancora le attribuiscono il significato originario di "persone provenienti da terre soggette a terremoti".
Una parola che si usa all'opposto è **polentone**. Il *polentone* è un mangiatore di polenta ed è il modo con cui gli italiani del Sud definiscono gli italiani del Nord. Anche questa è una parola offensiva, ma a volte è usata in maniera scherzosa. È nata negli anni compresi tra il 1960 e il 1970, quando molti meridionali sono emigrati al Nord in cerca di lavoro nelle industrie delle grandi città, in particolare in quelle di Genova, Milano e Torino.

accademiadellacrusca.it

Ritratti di italiani all'estero

1 **Emigrare: una scelta obbligata o una decisione libera? Fai le attività.**

a **Ogni anno molti italiani si trasferiscono all'estero o sognano di farlo. Quali sono i motivi che li spingono? Leggi quello che dicono quattro di loro.**

Marocco, Thailandia, Filippine o Caraibi? Là potrei vivere dignitosamente anche con la mia pensione di 500 euro al mese.

Luca Mancini, pensionato, 72enne

Voglio iniziare una nuova attività aprendo la mia *startup*: la mia meta è senz'altro Berlino!

Antonio Bergamaschi, neolaureato, 25enne

Non ho un progetto definito per il mio futuro, ma andandomene in Inghilterra spero di poter cogliere tante opportunità.

Elena Rossi, neodiplomata, 19enne

Espatriare significa crescere professionalmente. Sono all'estero per svolgere un lavoro più stimolante e per fare carriera.

Francesca Bortoli, manager di una multinazionale, 43enne

b **Confronta le tue idee sulle ragioni dell'emigrazione italiana con i compagni.**

c **Osservate i dati e rispondete alle domande.**

LE METE PREFERITE	DA DOVE EMIGRANO
 Germania 16.568	Lombardia 20.088
 Regno Unito 16.503	Veneto 10.374
 Svizzera 11.441	Sicilia 9.823

DOVE RISIEDONO

America 40,6%
Europa 53,8%
Anno 2015

1. In quali Paesi vanno gli italiani che emigrano?
2. Secondo voi, perché?

c **L'emigrazione è un fenomeno rilevante anche nel vostro Paese? In quali Paesi emigrano i vostri connazionali? Parlatene con i compagni.**

2 **Ritratti semiseri. Fate le attività.**

a **Leggete solo il paragrafo del testo che vi assegna l'insegnante.**

Ritratti semiseri

Benché le tipologie di italiani all'estero siano infinite, ne presentiamo qui quattro piuttosto ricorrenti. Si tratta di ritratti poco seri, leggeteli con il sorriso.

1 ....

C'è una specie particolare di italiano che **lascia la terra natia senza alcuna fatica**, poco importa se per un mese, un anno o per sempre. Spesso, ma non sempre, arriva in un nuovo Paese con un buon lavoro e con la voglia di esplorare. Se non conosce la lingua, prende lezioni o si arrangia con un vocabolario impossibile, sempre convinto di essere capito da tutti. Si iscrive alle associazioni italiane e, se ha figli, fa amicizia con facilità con altri genitori, soprattutto se si tratta di altri italiani. Con il tempo, la sua inesauribile voglia di esplorare si trasforma in affetto verso il Paese adottivo, senza però che la terra d'origine sia mai rinnegata: ama l'Italia quanto il nuovo Paese in cui vive. In genere, all'estero riesce a raggiungere una posizione sociale ed economica soddisfacente. Per lui tutto è una preziosa esperienza e cerca sempre di prendere il meglio da ciò che lo circonda.

2 ....

Alcuni italiani all'estero **non hanno particolare nostalgia** del proprio Paese, ma non amano nemmeno quello in cui si sono trasferiti. Raramente sembrano provare il sentimento di italianità, ma allo stesso tempo faticano a mettere radici nel posto in cui vivono, che per lo più hanno scelto per ragioni economiche e professionali. Possono non apprezzarne il clima, il cibo, le tradizioni e la gente, però, se la burocrazia funziona e la vita non è troppo complicata, accettano di viverci. Sembrano non provare mai la nostalgia di un cappuccino, di un paesaggio italiano o di una chiacchierata nella propria lingua materna.

3 ....

Ci sono italiani convinti che in Italia niente possa mai migliorare e che in qualunque altro Paese le cose funzionino meglio. Così, dall'Italia fanno i bagagli e si mettono alla ricerca di un posto che sia all'altezza dei loro sogni. Poche volte lo trovano e **dovunque vanno continuano a lamentarsi**: per il cibo che non è buono come quello italiano, per il clima, troppo freddo o troppo caldo, per la gente, troppo chiusa o troppo invadente... insomma, per qualsiasi cosa. Il loro trasferimento assomiglia a una fuga, spesso vissuta con molta tristezza. Nella vita, difficilmente riescono a costruire qualcosa di solido, perché sono troppo concentrati su ciò che non va, dimenticando spesso ciò che invece funziona.

(4) ....

Ci sono poi numerosi italiani, di tutte le età, che **espatriano con l'odio nel cuore** nei confronti del loro Paese e di tutto ciò che lo rappresenta. Sono arrabbiati neri e non c'è modo che facciano pace con il Belpaese. Ritengono i loro connazionali un popolo di "ladri e corrotti", incapaci di costruire il futuro dell'Italia. Spesso usano i *social network* per sparare a zero contro tutto ciò che è italiano, mentre elogiano anche il più piccolo dettaglio della vita del Paese che li ospita. Pur di disfarsi del passaporto italiano, arrivano a cambiare nazionalità e giurano che mai più metteranno piede in Italia. La loro rabbia è così grande che per il loro Paese di origine non hanno che un giudizio: l'Italia fa schifo. Punto.

b **Scegliete tra gli aggettivi indicati quello che meglio descrive la tipologia di italiani all'estero descritta nel paragrafo che avete letto e scrivetelo nella riga accanto al paragrafo.**

arrabiati ■ indifferenti ■ entusiasti ■ rassegnati

c **Scrivete le principali caratteristiche della tipologia di italiani all'estero descritta nel paragrafo che avete letto.**

....

....

....

d **Raccontate ai compagni le caratteristiche principali della tipologia di italiani all'estero descritta nel paragrafo che avete letto: non dimenticate di dire l'aggettivo che avete scelto e il perché della vostra scelta.**

e **Leggete le frasi e associatele alle quattro tipologie di italiani all'estero.**

a. Amano la vita sociale e politica del Paese che li ospita, diversamente da quella italiana. ◯
b. Per loro, la nuova lingua non è un problema: la studiano e si fanno capire come possono. ◯
c. Sono soddisfatti della loro situazione nel Paese di adozione. ◯
d. Sono italiani in fuga e nel nuovo Paese non trovano mai ciò che sperano. ◯
f. Il loro trasferimento è dovuto essenzialmente a motivi economici e professionali.
g. Per loro, il Belpaese è odioso, schifoso e corrotto. ◯
h. Si concentrano solo su ciò che non funziona del Paese che li ospita.
i. La loro casa è il nuovo Paese, anche se non dimenticano da dove vengono.
l. Per loro, qualsiasi Paese va bene, ma è fondamentale che la burocrazia funzioni bene e che la vita non sia complessa. ◯
m. Avere e mettere radici non è una loro priorità. ◯
n. Questa categoria conta molti italiani espatriati. ◯
o. Tristi per essersene andati dall'Italia, non sempre vivono bene nel Paese adottivo. ◯

f **Confrontate le risposte con i compagni.**

3 **Altri tipi di italiani all'estero. Fate le attività.**

a **Ci sono altre tipologie di italiani all'estero che non sono presenti nel testo? Sceglietene una e descrivetela. Non dimenticatevi di dire l'aggettivo che la può rappresentare!**

....

....

....

b **Confrontate le vostre proposte con i compagni.**

4 **A ognuno il suo gesto! Fate le attività.**

a iw **Guardate i video 59, 60, 61, 62 e associateli alla tipologia di italiani all'estero corrispondente.**

1 2 3 4

entusiasta ◯ indifferente ◯ arrabbiato ◯ rassegnato ◯

b **Confrontate le vostre risposte con i compagni. Ci sono molte differenze?**

c **Come vi sembrano gli italiani nel vostro Paese? Rispecchiano le tipologie descritte nel testo che avete letto sopra? Descrivete gli atteggiamenti più ricorrenti che, secondo voi, gli italiani all'estero hanno nei confronti del vostro Paese. Scegliete almeno un gesto per rappresentarli.**

....

....

....

....

d **Presentate ai compagni le vostre descrizioni. Non dimenticate di far vedere i gesti che avete scelto.**

5 **E i vostri connazionali? Fate le attività.**

a **Nel vostro Paese, chi decide di emigrare? Per quali ragioni? Quali sono gli atteggiamenti che dimostra verso il Paese natale e verso il Paese che lo ospita? Componete il suo identikit.**

Identikit dell'emigrato

Chi è? ....

Perché se ne va? ....

....

Quali sono i suoi atteggiamenti verso il Paese natale e verso il Paese che lo ospita?

....

....

b **Confrontate i vostri identikit con i compagni. Provate a raggrupparli in tipologie e per ciascuna trovate un aggettivo che la descriva.**

c **Nel vostro Paese ci sono gesti che possono essere associati agli atteggiamenti che avete descritto nell'identikit dell'emigrato? Mostrateli e discutetene con i compagni.**

6 **E ora si gioca! Quale emigrato? Fate le attività.**

a **Prendete un cartellino, leggete l'aggettivo che descrive una tipologia di emigrati e preparate una breve recita (di non più di tre minuti) per rappresentarli. Oltre a preparare un testo, pensate anche alle espressioni del viso, ai gesti e al tono di voce che potete impiegare. Per rendere la recita più realistica, potete usare vestiti e oggetti.** MATERIALE A p. 128

b **Recitate la vostra scenetta ai compagni e guardate le loro. Vince il gruppo che usa più elementi non verbali nel modo corretto.**

Lo sai che...

EMIGRANTI DAI CAPELLI GRIGI Nel 2016 ben 115 mila italiani si sono trasferiti fuori dal Belpaese. Si è trattato soprattutto di studenti e di neolaureati. Ma la vera novità sono stati gli **emigrati ultraquarantenni**: professionisti e imprenditori, ma anche lavoratori poco qualificati che se ne sono andati in Cina, in America Latina e nei Paesi del Golfo. In sei anni (dal 2008 al 2014) sono raddoppiati, passando da 7700 a 14 300. Questo fenomeno non può essere più considerato una circostanza eccezionale dovuta alla crisi economica, ma una tendenza destinata a durare.

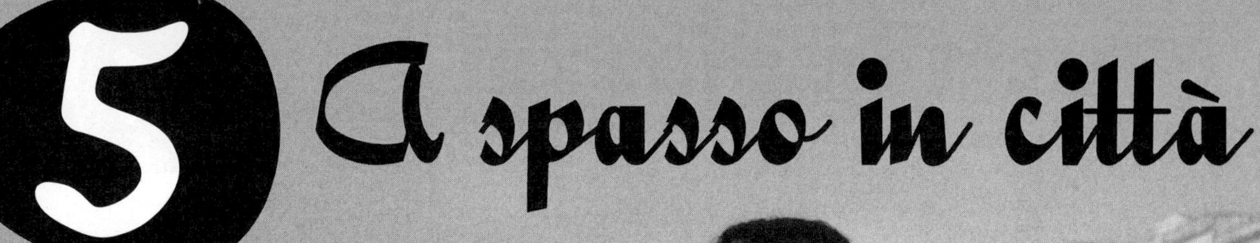

5 A spasso in città

Tutti in piazza!

1 **La piazza italiana. Fate le attività.**

a **Guardate il disegno e descrivete le caratteristiche della piazza che vedete.**

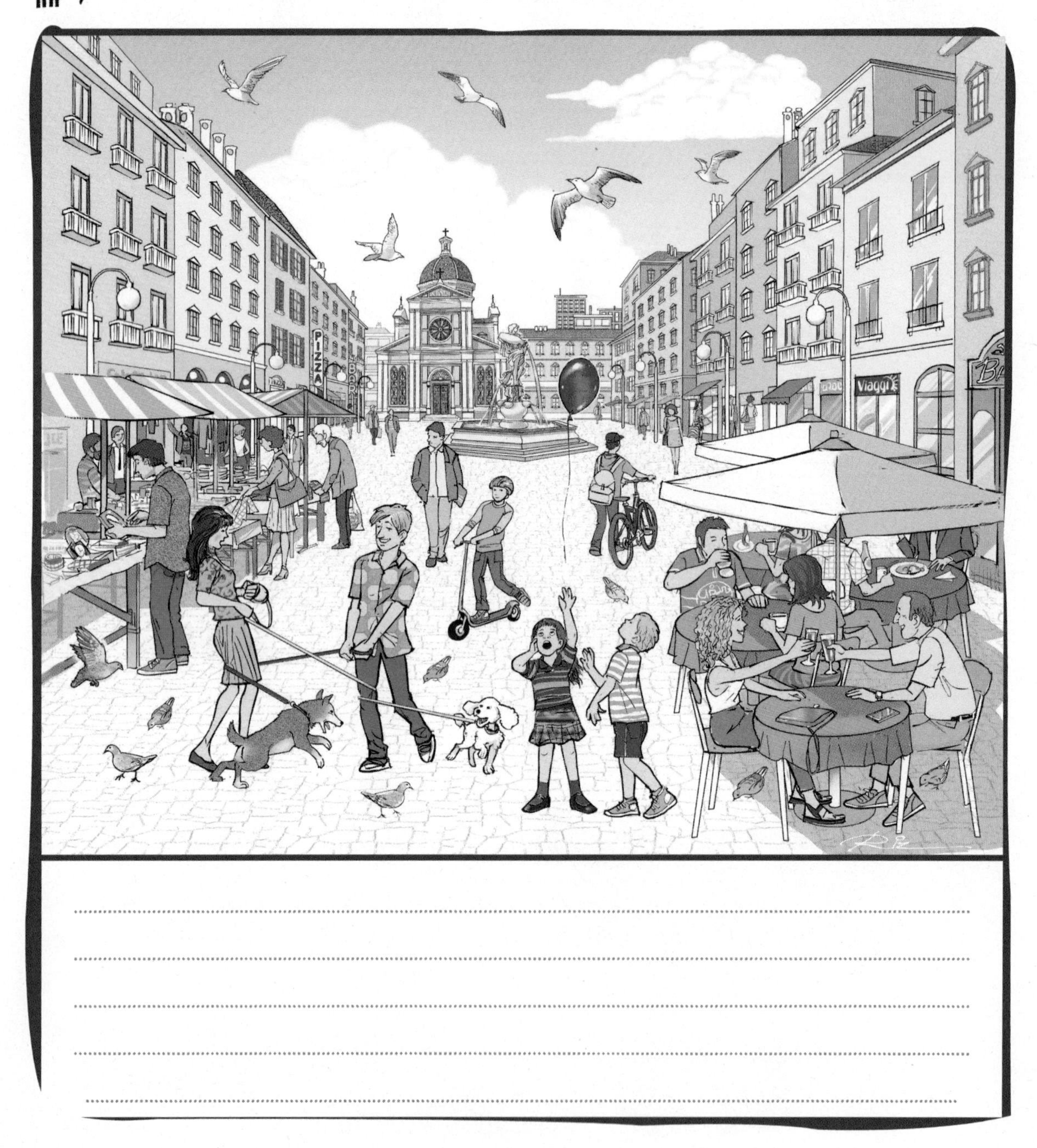

....

....

....

....

....

b  **Confrontate le vostre descrizioni con i compagni.**

2 La mia piazza preferita. Fate le attività.

a **Ascoltate le descrizioni di tre piazze italiane e associatele alle immagini.**

b **Confrontate le vostre risposte con i compagni.**

c **Ascoltate un'altra volta le tre descrizioni e individuate le caratteristiche comuni alle tre piazze (√).**

1. È grande. ☐
2. Ci sono molte persone. ☐
3. C'è il mare. ☐
4. Ci sono tanti turisti. ☐
5. C'è il mercato. ☐
6. È molto verde. ☐
7. Ci sono concerti. ☐
8. Intorno ci sono palazzi famosi e bellissimi. ☐

d **Confrontate le vostre risposte con i compagni.**

3 Descrivere una piazza con un gesto. Fate le attività.

a **Guardate il gesto. Lo conoscete? Secondo voi, che cosa significa? Indicate l'espressione verbale che potete usare (√).**

1. È molto grande! ☐
2. C'è molta gente! ☐
3. Non mi piace! ☐
4. È bellissima! ☐

b **Secondo voi, si può usare questo gesto per le piazze descritte nell'attività 2?**

c **Guardate il video 63 e verificate le vostre ipotesi.**

4 Ancora gesti. Fate le attività.

a Guardate i gesti. Che cosa significano? Associate a ogni gesto l'espressione verbale appropriata.

1 2 3 4

a. Questa piazza è bellissima! ◯
b. Questa piazza è bruttissima! ◯
c. Che noiosa questa piazza! ◯
d. Questa piazza è così così! ◯

b iw Guardate i video 64, 65, 66, 67 e verificate le vostre ipotesi.

c Leggete i fumetti che descrivono delle piazze e associateli ai gesti che avete visto sopra.

È molto grande, ma non c'è mai nessuno!

Ci sono sempre tante cose da fare: c'è il mercato e ci sono concerti e spettacoli.

È molto verde, ma è sempre molto sporca!

Ci sono moltissimi giovani, soprattutto la sera.

Ci sono moltissimi negozi per fare shopping.

Non ci sono palazzi antichi, ma solo edifici moderni.

d Confrontate le vostre risposte con i compagni.

5 E nel tuo Paese? Fate le attività.

a Come sono le piazze nel vostro Paese? Sono molto differenti dalle piazze italiane? Indicate le somiglianze e le differenze.

La piazza in Italia e nel mio Paese

SOMIGLIANZE	DIFFERENZE
....	....
....	....
....	....

b Confrontate le vostre risposte con i compagni.

6 **E ora si gioca! Descrivete una piazza. Fate le attività.**

a **Guardate il disegno della piazza. Avete un minuto di tempo per memorizzare tutte le sue caratteristiche. Poi chiudete il libro ed elencate sul quaderno tutte le caratteristiche che ricordate. La prima squadra che finisce dice: "Stop!".**

b **Leggete le caratteristiche che avete elencato ai compagni. Se le altre squadre hanno scritto caratteristiche uguali alle vostre, dovete cancellarle dalla lista. Vince la squadra che resta con più caratteristiche. In caso di pareggio l'insegnante sceglie la squadra con le caratteristiche più originali.**

c **Se siete i vincitori, scegliete un gesto per descrivere la piazza.**

Lo sai che...

PIAZZA PLEBISCITO: UNA CURIOSITÀ Se ti trovi in **Piazza del Plebiscito**, a Napoli, e hai alle spalle Palazzo Reale, bendati gli occhi e attraversa la piazza in direzione della basilica di San Francesco da Paola. Devi percorrere una linea retta e passare in mezzo alle due grandi statue di uomini a cavallo. È molto difficile riuscire a farlo perché il pavimento è inclinato e ti fa cambiare traiettoria.

10cose.it

Uff... ci siamo persi

1 **Come ti orienti? Fai le attività.**

a **Scrivi le parole indicate sotto alle immagini corrispondenti.**

cartina ■ smartphone ■ bussola ■ guida turistica

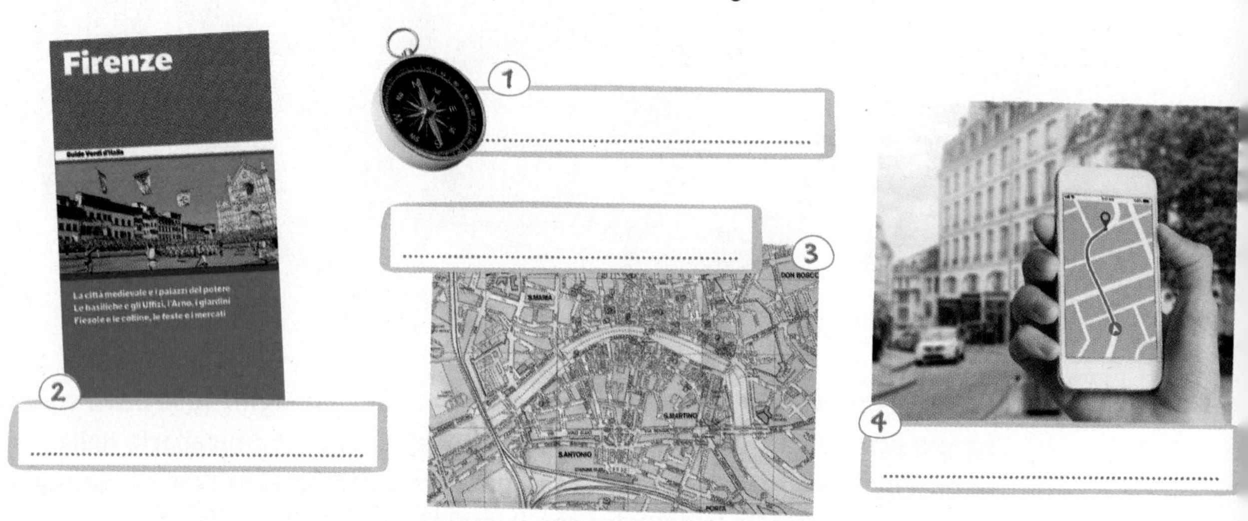

b **Quali sono tre oggetti che usate di solito per orientarvi in una città che non conoscete? Perché sono utili?**

c **Rispondi alle domande e componi la tua classifica.**

▸ Quale dei tuoi tre oggetti è...

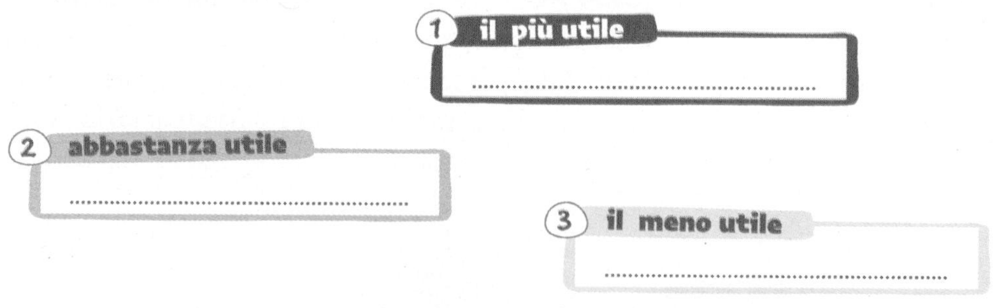

d **Confronta la tua classifica con i compagni e, insieme, preparate la classifica della classe.**

2 **Hai il senso dell'orientamento? Fai le attività.**

a **Leggi il testo.**

Dieci consigli per orientarvi in una nuova città

In una città che non conoscete è molto importante sapere sempre dove siete. Ecco dieci consigli per orientarvi.

1. Comprate o stampate la **cartina della città**. Guardate dove si trova il vostro albergo e il centro città, e dove sono l'autobus o la metropolitana più vicini.
2. Imparate **qualche parola** e qualche frase nella lingua che si parla nel posto in cui siete per chiedere come raggiungere un luogo o per sapere il significato dei piatti scritti nel menu del ristorante.
3. Imparate bene i nomi dei negozi, dei ristoranti e delle strade vicini al **vostro albergo**.
4. Segnate sulla cartina o sulla guida il **luogo** che vi interessa.
5. Scrivete i nomi dei luoghi d'interesse **più vicini** a voi (musei, teatri, parchi).
6. **Chiedete indicazioni** stradali alle persone che incontrate per strada. È anche un buon modo per conoscere la gente che abita in città.
7. Quando arrivate di sera in una nuova città, imparate dove sono i **luoghi più importanti**: dove si trova il centro storico, dov'è la cattedrale, dove sono i musei più importanti.
8. In una nuova città cercate dei **punti di riferimento**: l'edicola all'angolo della via principale, la stazione degli autobus, un ristorante che vi piace, un negozio che ha un nome che vi fa ridere, una casa particolare.
9. **Perdetevi**, cambiate strada e percorso: scoprite così posti nuovi e divertenti.
10. Quando cambiate strada tornate sempre indietro per lo **stesso percorso** che avete fatto e ritrovate la strada principale.

b **Quando viaggiate, quali di questi consigli seguite? Quali no? Perché?**

c **Un amico viene a trovarti per la prima volta nella tua città. Scrivigli cinque consigli per orientarsi.**

....

....

....

d **Confrontate i vostri consigli con i compagni.**

e **È più facile orientarsi in una grande o in una piccola città? Perché? Preparate un cartellone con i cinque consigli migliori per le due situazioni.**

3 **(Dis)orientamento. Fate le attività.**

a **E voi, quando vi perdete come vi sentite? Che cosa fate? Chi o che cosa cercate?**

b **Confrontate le vostre risposte con i compagni.**

c **Che cosa si dice? Guarda le vignette e completa i fumetti con le espressioni indicate.**

Modestamente! ■ Non mi convince... ■ Puoi ripetere? ■ Evviva! ■ Che sbadato!

d **In quali delle precedenti vignette i personaggi si orientano (O) e in quali no (N)? Indicalo nella casella.**

vignetta (1) ☐ vignetta (2) ☐ vignetta (3) ☐ vignetta (4) ☐ vignetta (5) ☐

  **E ora si gioca! Perdersi in città. Preparate un breve dialogo recitato. Scegliete un ruolo e seguite la traccia. Dovete usare almeno un gesto.**

Studente A È un turista in una grande città. Si è perso.
Studente B È un abitante della grande città.

Traccia:
- Il turista chiede aiuto all'abitante della città per orientarsi.
- L'abitante della grande città chiede al turista dove sta andando e il turista risponde scegliendo una delle mete indicate. *Destinazione: hotel; aeroporto; teatro; cinema; ospedale; museo; stadio; ristorante tipico.*
- L'abitante della grande città chiede qual è il problema del turista e il turista risponde scegliendo una delle spiegazioni indicate. *Problema: sta cercando la sua destinazione da più di un'ora; la cartina non è aggiornata; l'app sullo smartphone non funziona; c'è uno sciopero ed è tutto chiuso.*
- Infine, l'abitante della grande città propone una soluzione.

Lo sai che...

PIANTINA O CARTINA? **Piantina** e **cartina** sono due diminutivi di *pianta* e di *carta*. Si usano per riferirsi alla mappa di un luogo. Entrambe possono rappresentare una città, un appartamento, una stanza; la superficie è in forma ridotta e gli elementi sono rappresentati visti dall'alto. La piantina/cartina di una città mette in evidenza le piazze, i parchi, i giardini e gli edifici più importanti (musei, monumenti, stadi ecc.). Fate attenzione: la piantina è di una città o di un Paese, mentre la cartina può essere anche stradale. In questo caso sono indicate tutte le strade che si percorrono in automobile o in motocicletta.

Italiani al volante

1 Quanti problemi! Fate le attività.

a Quali sono i problemi più comuni di una città? Guardate le immagini e associatele ai problemi corrispondenti.

1. rifiuti
2. inquinamento
3. povertà
4. chiusura di piccoli negozi
5. sicurezza
6. traffico

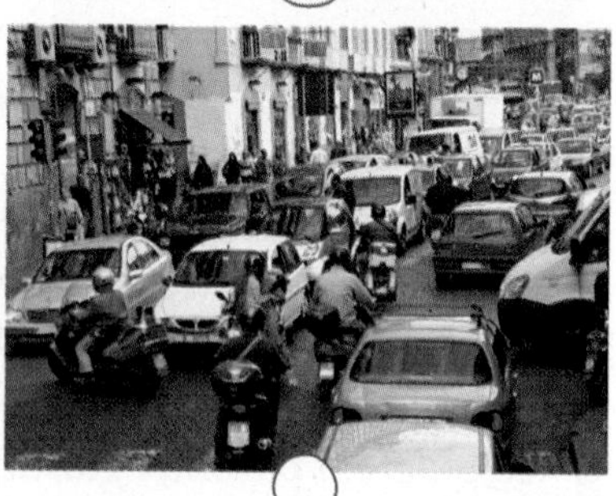

b Individua il problema principale della tua città e indica una possibile soluzione.

....

....

....

....

c Confrontate i problemi che avete individuato e le soluzioni che avete indicato. Poi stilate una classifica rispondendo alle domande.

- Qual è il problema più grave tra quelli che avete individuato?
- Qual è il problema meno grave?
- Qual è la soluzione più efficace tra quelle che avete indicato?
- Qual è la soluzione meno efficace?

2 **Sempre in auto! Fate le attività.**

a **Il traffico è uno dei maggiori problemi delle città italiane. Come sono gli automobilisti italiani? Leggete solo il testo che vi assegna l'insegnante.**

1 ....

I guidatori più spericolati d'Europa sono gli italiani, lo rileva il *Barometro* della Fondazione Vinci Autoroutes. La ricerca della Fondazione fa una panoramica a livello europeo dei comportamenti di guida e della loro evoluzione nel tempo.
Il 27% degli intervistati ritiene che **gli italiani siano i conducenti meno responsabili**, seguiti dai greci (18%), dai polacchi (16%) e dai francesi, al quarto posto con gli spagnoli (8%). **Gli svedesi sono invece considerati i guidatori migliori**: il 38% degli intervistati ritiene che siano i più responsabili. Sono seguiti dai tedeschi, dagli olandesi e dai britannici.
Ci sono poi le cattive abitudini alla guida: le parolacce, ad esempio, sono usate dagli automobilisti di tutta Europa. Rispetto al nostro Paese, il 65% degli italiani confessa che a loro capita di insultare altri automobilisti, anche con i gesti; il 54% ammette, invece, di usare il clacson in modo inappropriato e il 25% scende talvolta dall'auto per discutere con un altro conducente.

gazzetta.it

2 ....

Secondo un'indagine di Facile.it, nel 2016 21 milioni di automobilisti italiani sono stati coinvolti in liti stradali. In media, nel corso dell'anno, a ciascuno di loro è capitato 2,5 volte, per un totale di quasi 51 milioni di liti stradali. Le **principali ragioni** alla base delle liti sono queste: manovre pericolose, **parcheggi in doppia fila**, veicoli che impediscono di entrare o di uscire da un parcheggio o che lo occupano scavalcando chi era in attesa di occuparlo, sorpassi a destra, insulti e uso inappropriato del clacson. Dall'indagine sono emersi dati interessanti sulla **differenza tra uomini e donne** (le donne litigano di più: il 63% contro il 61% degli uomini) e **tra Nord e Sud Italia**. Le liti stradali sono più frequenti al Sud (68% degli automobilisti), meno al Centro e al Nord (64 e 58% rispettivamente). Al Sud il parcheggio in doppia fila è difficilmente tollerato, visto che nell'ultimo anno il 33% degli automobilisti del Sud ha avuto una lite per questo motivo (al Nord solo il 10%).

adnkronos.com

③ ....

Gli italiani, quando guidano, sono nervosi: lo dice un recente studio che ha analizzato il loro comportamento. Quando sono nel traffico, gli italiani faticano a mantenere la calma e diventano litigiosi: si insultano, gesticolano violentemente e suonano il clacson continuamente.
Ma come rispondono agli insulti ricevuti? Il 47% degli automobilisti che sono insultati risponde con altri insulti, ma il dato cambia in base all'età: infatti, i guidatori tra i 25 e i 34 anni (che sono i più litigiosi) agli insulti rispondono quasi sempre con altri insulti, a volte sporgendosi dal finestrino e urlando; i guidatori tra i 18 e i 24 anni, quando sono insultati, di solito reagiscono suonando il clacson; i guidatori tra i 35 e i 55 anni, nella stessa situazione, cercano invece di mantenere la calma e rispondono con l'ironia.

b **Scegliete il titolo appropriato tra quelli indicati per il testo che avete letto e scrivetelo nella riga.**

a. Liti stradali **b.** Nervosismo al volante **c.** Automobilisti spericolati

c **Dividetevi in gruppi: ognuno racconta il contenuto del testo che ha letto. Unite le informazioni e sul quaderno scrivete una breve presentazione sul comportamento degli italiani al volante, inserendo almeno un grafico con dei dati.**

d **Confrontate le vostre presentazioni con i compagni. Che differenze ci sono? Il grafico che avete prodotto com'è rispetto agli altri?**

3 Che sorpasso! Guardate i gesti e fate le attività.

a **Guardate i fotogrammi di una scena del film *Il sorpasso* di Dino Risi: descrivete la situazione e fate un'ipotesi sulla sua causa.**

b **Cercate in Internet il video *Il sorpasso -le corna-* e verificate le vostre ipotesi.**

c **Leggete il dialogo relativo alla scena che avete visto e associate i gesti alle persone.**

Guidatore: Oh! Ma guarda se si scansa*!
Passeggero dell'altra auto ◯
Guidatore: Reggi il volante!
Passeggero: Ma...
Guidatore ◯
Passeggero: Io...
Guidatore: Che dici? Le avranno viste? ◯

1

2

3

* scansarsi = spostarsi

d **Ci sono altri gesti usati dagli italiani al volante o per strada. Guardate i video 68-72 e associate ogni espressione al gesto corrispondente.**

1. Non so. **2.** Fermati! **3.** Ma che fai?! **4.** Scusi! **5.** Ma sei pazzo?

4 **E ora si gioca! Parole intrecciate. Come si chiama il famoso attore del film *Il sorpasso*? Cercate le parole indicate in orizzontale e in verticale e cancellatele. Le lettere che rimangono vi danno la risposta. Vince la squadra che risolve il gioco più velocemente.**

città ■ traffico ■ problema ■ tiè ■ guidatore ■ guida volante ■ abitudine ■ litigio ■ insulto ■ nervoso ■ corna ■ pace ■ tasto

P	R	O	B	L	E	M	A	V	A
L	T	I	V	T	I	È	G	O	B
I	R	N	P	A	C	E	U	L	I
T	A	S	T	O	I	I	I	A	T
I	F	U	T	T	T	O	D	N	U
G	F	L	R	I	T	O	A	T	D
I	I	T	G	A	À	S	S	E	I
O	C	O	C	O	R	N	A	M	N
A	O	N	E	R	V	O	S	O	E
G	U	I	D	A	T	O	R	E	N

Il famoso attore del film *Il sorpasso* è ....

Lo sai che...

SCARAMANTICI ANCHE IN AUTO Nelle loro automobili gli italiani mettono spesso dei **portafortuna**. Il cornetto rosso si trova soprattutto nel Sud Italia; al Nord, invece, gli automobilisti preferiscono oggetti legati alla famiglia, ad esempio una fotografia dei figli o del coniuge. In tutta Italia altri portafortuna molto frequenti sono: il santino (o un altro oggetto religioso), la coccinella (animale portafortuna per eccellenza), il ferro di cavallo (con le punte rivolte verso l'alto, altrimenti porta sfortuna!), il quadrifoglio, l'elefante (con la proboscide all'insù) e la zampa di coniglio.

L'arte di fare la fila

1 Che fila è? Fate le attività.

a **Ogni Paese ha le sue abitudini, anche nel fare la fila. Associate i testi alle immagini.**

1. Fare la fila significa mettersi in coda uno dietro l'altro e aspettare ordinatamente il proprio turno. Tuttavia, in Italia capita a volte che questa regola non sia osservata: invece che rispettare la fila, le persone si ammassano da ogni lato e cercano in tutti i modi di passare davanti. È una gara tra **furbi**, nella quale le persone meno sveglie restano indietro.

a

2. Addio tradizionale "ordine *british*"! Secondo lo psicologo Adrian Furnham "la calma, le buone maniere, l'attesa ordinata... insomma, le norme sociali della coda sono virtù ormai scomparse". La fila all'inglese non si fa più: come dice Furnham, è una "roba da film". Ora vincono i **furbi**.

b

3. In Giappone c'è una fila ordinata per tutto: per salire sui mezzi di trasporto (treni, metro o autobus poco importa), per entrare in un ristorante o in un museo. Con o senza indicazioni dipinte per terra che impongono un ordine, mettersi in fila in modo preciso è un obbligo: guai a fare i **furbi**!

c

b **Nei tre testi compare la parola *furbi*: che cosa significa? Parlane con un compagno.**

c **Gli italiani associano due gesti alla parola *furbo*. I due gesti si usano però con finalità diverse e si accompagnano a espressioni verbali differenti. Associate le frasi ai gesti.**

1. Stabilisce un'intesa con una persona. ◯
2. Avvisa l'interlocutore che una persona è furba. ◯
3. Si usa con l'espressione *è un dritto!*. ◯
4. Consiglia un atteggiamento attento nei confronti di qualcosa/qualcuno. ◯
5. Si usa con l'espressione *occhio!*. ◯
6. Si usa l'espressione *è un furbo di tre cotte*. ◯

a

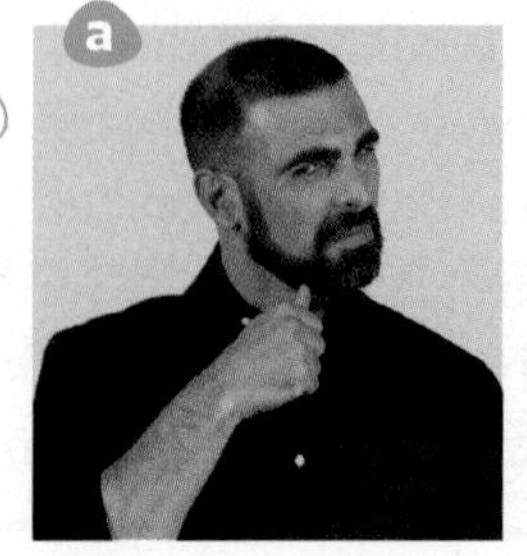

b

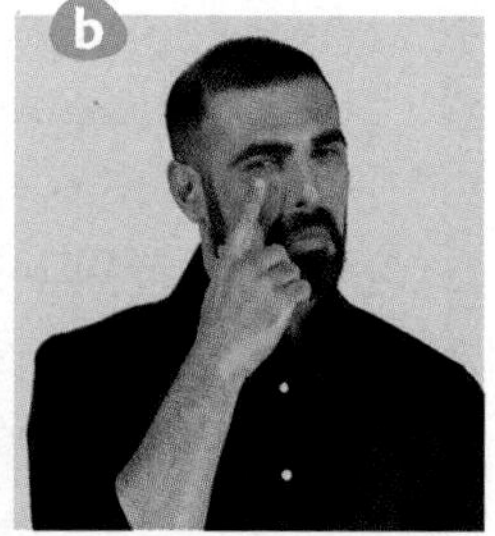

d Guardate i video 73 e 74 e verificate le vostre ipotesi.

e Da dove viene l'espressione *furbo di tre cotte*? Che cosa significa? Scopritelo completando il testo con le parole indicate.

cotto ■ cotta ■ cotte ■ cottura ■ cotture

Furbo di tre (o sette) cotte significa "furbo al massimo grado, furbissimo"; l'espressione ha valore intensivo. *Cotte* è il plurale di ...., "cottura". Un tempo la .... era replicata allo scopo di purificare e raffinare un cibo o una bevanda, estraendone qualità e concentrazione di aromi. *Di tre (o sette)* .... significava, dunque, "di tre .... ", cioè " .... al massimo grado" (e perciò buonissimo). La prima attestazione di questa espressione risale al 1546.

treccani.it

2 Tutti in fila! Fate le attività.

a Leggete tre racconti di un'attesa in fila e indovinate il luogo in cui sono ambientati.

1. Milano, domenica pomeriggio. I dipinti di Fattori in mostra attirano, ma le sale sono piccole, si entra pochi per volta. La fila è lunga una trentina di persone. Quando il primo gruppetto entra, alcune persone appena arrivate si avvicinano all'entrata. Appena tocca a una signora all'inizio della fila, che evidentemente è una loro amica, provano a entrare con lei. Da dietro, facciamo notare che non si fa: quelle persone hanno tagliato la fila. La signora si volta e ci risponde male, ma ritorna indietro insieme agli amici e tutti si rimettono in fondo alla fila; l'unico a non andarsene è un signore con i baffi, i capelli bianchi e un impermeabile: davanti a tutti, insiste che è inutile fare la fila ognuno per sé, uno basta e avanza. Tutti i presenti si arrabbiano e lui alla fine si arrende e raggiunge il suo gruppo in fondo alla fila, convinto però di aver subito un grande torto. **Dove?** ....

2. Devo spedire un pacco, prendo il numero e mi accomodo su una sedia in attesa del mio turno. Per fortuna c'è poca gente davanti a me. Arrivato il mio turno, mi avvicino allo sportello e trovo un signore che mi ha anticipato. Gli faccio notare che tocca a me (sul display è ben segnalato 12, proprio come sul mio biglietto), lui si gira dall'altra parte e comincia a parlare con l'impiegato. Io mi arrabbio: ma com'è possibile? Chiedo dunque all'impiegato di controllare il biglietto del signore. Il signore, però, non ha il biglietto... **Dove?** ....

3. Sono incinta di sette mesi e la mia pancia si vede benissimo. Mi sono quindi diretta alla cassa che mi spetta: quella con precedenza per donne incinte e disabili. Ma in fila c'erano tre uomini (nessuno disabile!). I primi due non si sono accorti di me, l'ultimo della fila invece sì: si è girato, mi ha guardato la pancia e si è girato di nuovo facendo finta di niente. In quel momento è arrivata un'altra donna incinta. Allora insieme abbiamo chiesto al cassiere di farci passare, ma lui è rimasto zitto e ha continuato a occuparsi dei clienti prima di noi. **Dove?** ....

b **Dopo aver letto questi testi, pensate a quanto succede nel vostro Paese: ci sono situazioni simili a quelle descritte? Raccontate somiglianze e differenze.**

3 Che fila c'è? Fate le attività.

a **Guardate le immagini di queste file e fate delle ipotesi sulla loro causa.**

1

2

3

b **E voi, fareste mai delle file così? Parlate con un compagno dei vantaggi e degli svantaggi di questo tipo di file.**

c **Intervista un compagno sulle abitudini di fare la fila nel suo Paese. Poi lui intervista te.**

- Che cosa succede quando esce un prodotto molto atteso (ad esempio l'iPhone della Apple o il nuovo romanzo di un autore famoso)?
- Esiste il *Black Friday* nel tuo Paese? C'è molta attesa per fare acquisti durante il "venerdì nero"?
- In queste occasioni com'è la fila che si forma nel tuo Paese?

4 Occhio allo spazio! Fate le attività.

a **Leggete il testo.**

Manteniamo le distanze

Molto spesso vi sarà capitato in treno, in metropolitana o in autobus, di vedere una persona seduta con alcuni posti vuoti accanto. Ora pensate: quale posto occupereste entrando nello scompartimento? Quello accanto alla persona già seduta oppure un posto più lontano? Molto probabilmente scegliereste il secondo, ma non abbiate paura, non si tratta di un comportamento sbagliato, bensì di un uso sociale dello spazio.
Il modo in cui occupiamo il nostro spazio rivela molte cose sul nostro status, sulla nostra personalità e sul nostro stato d'animo. Edward T. Hall, nel suo libro *La dimensione nascosta*, ha parlato di quattro tipi di distanza interpersonale: intima (0-45 cm), personale (45-120 cm), sociale (120-360 cm), pubblica (oltre 360 cm).

Va però aggiunto che ognuno di noi ha la propria distanza preferita. Queste preferenze sono fortemente influenzate dall'educazione, dalle abitudini e dal carattere: chi è più introverso preferirà distanze più ampie rispetto a chi è estroverso. Ma anche l'ambiente in cui si vive ha un ruolo nella scelta della distanza interpersonale: chi vive in spazi aperti (in campagna o in montagna, ad esempio) terrà una distanza maggiore dai suoi interlocutori rispetto a chi invece vive in città.

b **Guarda il disegno: com'è questa fila? Che atteggiamento hanno le persone? Mantengono una distanza interpersonale adeguata alla situazione? Parlane con un compagno.**

c **Confrontate le vostre idee con i compagni.**

d **Guardate ancora la vignetta e sul quaderno scrivete una breve storia dal punto di vista di uno dei personaggi a vostra scelta, spiegando il motivo del suo atteggiamento.**

5 **E ora si gioca! Risolvete il rebus e scoprite qual è la disciplina che studia il rapporto tra l'uomo e lo spazio. Vince la squadra che per prima trova la risposta.**

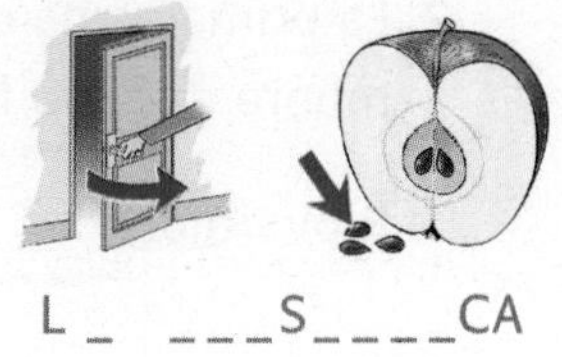

L _ _ _ _ S _ _ _ _ CA

Lo sai che...

LA TUA CODA ALLO SPORTELLO? DA OGGI LA PRENDO IO! In Italia le code non mancano mai e sempre meno persone hanno il tempo e la voglia di fare la fila agli sportelli. Il Codacons, un'associazione di consumatori, stima che ogni italiano trascorra circa 400 ore (equivalenti a 16 giorni) in fila ogni anno, con un costo elevato anche in termini economici. Così Giovanni Cafaro, rimasto senza lavoro, si è inventato una nuova professione: il **codista**. Giovanni ha deciso di stampare un volantino per promuovere la sua nuova attività: fare la fila al posto di altri. Ne ha distribuite 5000 copie a Milano e la reazione è stata immediata: dopo pochi giorni sono arrivate le prime chiamate ed è stato un successo imprevedibile.

Città proverbiali

1 Parole e città. Fate le attività.

a Un proverbio è una frase, o un breve testo, che esprime un pensiero proveniente dalla saggezza popolare. Molti proverbi italiani si riferiscono alle città. Ricostruiteli collegando le espressioni della prima e della seconda colonna. Aiutatevi con le rime!

1. Tutte le strade
2. Vedi Napoli
3. Per conoscere un bolognese
4. Fiorentino mangiafagioli,
5. Se vuoi provare le pene d'inferno,
6. Chi ha visto Torino e non La Venaria
7. A Milano anche i gelsi

a. lecca i piatti e i tovaglioli.
b. ci vuole un anno e un mese.
c. ha conosciuto la madre e non la figlia.
d. portano a Roma.
e. e poi muori.
f. l'inverno a Messina e l'estate a Palermo.
g. fanno l'uva.

b Che cosa significano i proverbi dell'attività precedente? Confrontati con un compagno.

c Scrivete il proverbio accanto alla sua spiegazione.

1. È una città che rende produttiva ogni cosa grazie all'operosità degli abitanti.

   Proverbio: ....

2. La prima è una città in cui fa molto freddo in inverno, la seconda è una città in cui si muore di caldo in estate.

   Proverbio: ....

3. È una città così bella che è impossibile resisterle.

   Proverbio: ....

4. Le antiche vie di comunicazione italiane avevano questa città come punto di partenza e di arrivo.

   Proverbio: ....

5. Vicino alla città, un tempo capitale del Regno di Italia, c'è una cittadina in cui si trova la reggia dell'antica dinastia sabauda; anche per questo le relazioni tra le due sono state molto strette.

   Proverbio: ....

6. Entrare in contatto con gli abitanti della città non è sempre facile, ci vuole un po' di tempo.

Proverbio: ....

7. I fagioli hanno sempre fatto parte della cucina della città e sono diventati parte del nome con cui i forestieri chiamavano i suoi abitanti.

Proverbio: ....

d **Conoscete altri proverbi sulle città italiane? Parlatene con un compagno.**

2 Tra moglie e marito non mettere il dito! Fai le attività.

a 6 **Ascolta il dialogo e rispondi alle domande.**

1. Chi sono Francesco ed Elena? Che cosa festeggiano?

....

2. Inizialmente, dove vorrebbe andare Francesco in vacanza con Elena?

....

3. Alla fine, dove decidono di andare in vacanza? Perché?

....

b 6 **Ascoltate di nuovo il dialogo. Riportate i proverbi che sentite negli spazi corretti.**

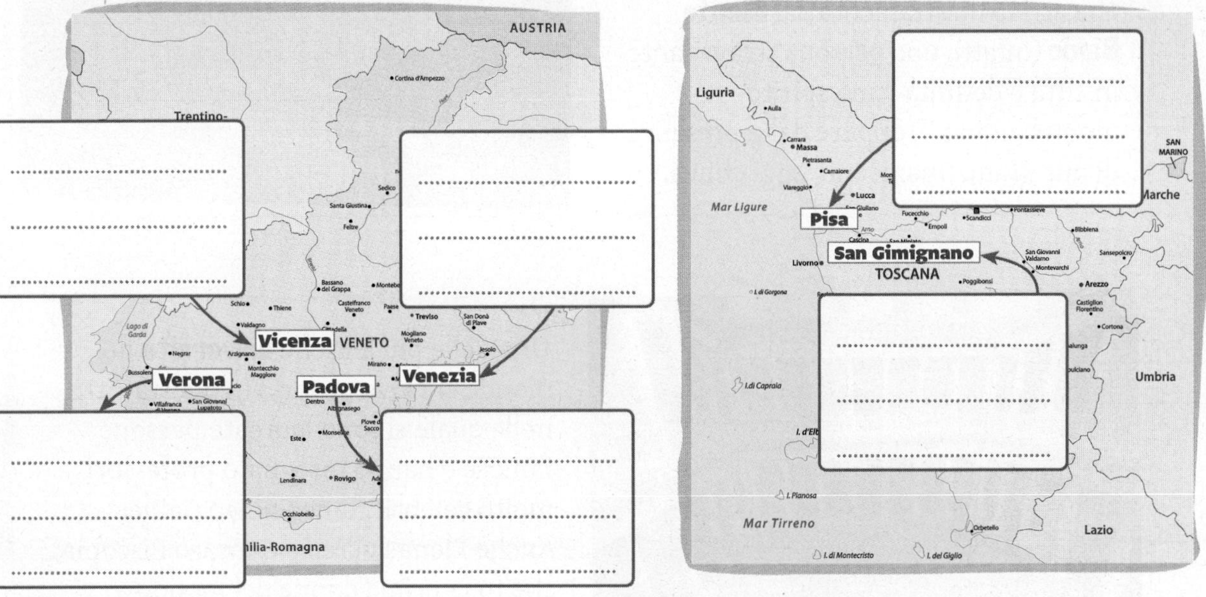

c **Confrontate quello che avete scritto con i compagni.**

d Che storia! Tu leggi a un compagno i testi 1 e 2 e lui deve indovinare i proverbi legati alle due città. Poi lui legge a te i testi 3 e 4 e tu devi indovinare i proverbi legati alle altre due città.

1

Ai tempi della repubblica **Serenissima**, in particolare nei secoli XIV e XV, era una delle potenze marittime e commerciali più importanti del mondo. L'aristocrazia e il mecenatismo della città hanno diffuso in tutto il mondo un'immagine di splendore estetico, economico, culturale.

2

La povertà di questo territorio si rifletteva nell'alimentazione locale che spesso consisteva di animali molto comuni. Un animale, ancora oggi cucinato, servito e consumato nelle trattorie della città è il **piccione torresano**.

3

L'origine del proverbio è incerta: potrebbe derivare dall'aria frizzante che arriva direttamente dal **Monte Baldo** (infatti, una persona stravagante in città è definita "uno spirito montebaldino"), oppure dalla presenza di due grandi manicomi, oggi chiusi.

4

Una delle più antiche **università** del mondo si trova proprio in questa città, nella quale si sono laureate persone famose e hanno insegnato professori molto celebri, come Galileo Galilei. Anche Elena Lucrezia Cornaro Piscopia, che fu la prima donna del mondo a laurearsi nel 1678, studiò qui.

3 Veronesi tutti matti! Fate le attività.

a **Si dice che i veronesi siano tutti matti. In italiano *matto* ha due sinonimi: *pazzo* e *folle*. Qual è la differenza? Fate delle ipotesi.**

b **Leggete il testo e associate a ogni espressione sottolineata il gesto corrispondente.**

1 ◯

2 ◯

3 ◯

Tre sfumature di matto

La parola **matto** viene probabilmente dal latino ***mattus*** che significava "ubriaco". Oggi indica una persona che non ha, o ha solo in parte, l'uso della ragione. È sinonimo di *pazzo*, dal quale non può però essere sempre sostituito. Ad esempio, non lo può essere in alcuni proverbi: *Chi è al coperto quando piove è ben matto se si muove*. E viceversa: *Marzo pazzerello, esci col sole e rientri con l'ombrello*.

Matto è più comune di *pazzo*, specialmente nelle regioni settentrionali (il che giustifica i "veronesi tutti matti" e non pazzi) ed è usato in alcune espressioni molto comuni: *C'è da diventar matti*, per indicare una situazione insopportabile; **(a)** *Sei matto?* (ma anche: *Sei pazzo?*), che è detto a chi si comporta in modo anomalo o fa discorsi irragionevoli; *Fossi matto!*, che si usa per rifiutare una richiesta o una proposta.

Esistono tre gesti, tutti usati in maniera informale, che sono legati alla pazzia e che si distinguono per il differente movimento della mano; per due di essi c'è una corrispondenza con il verbo che si usa nelle espressioni verbali associate. **(b)** *Quello è tocco!* deriva da *essere tocco*, il cui significato è "non avere il cervello perfettamente a posto". **(c)** *Sei svitato?!* ha lo stesso significato dell'espressione precedente, ma il verbo utilizzato è *svitare*, ovvero "togliere una vite" che in questo caso può significare "non avere la testa ben attaccata al collo", quindi non ben salda.

c  **Guardate i video 75, 76, 77 e verificate le vostre risposte.**

4 **E ora si gioca! L'impiccato. Dividetevi in squadre. Una squadra prende dal mazzo un cartellino contenente una parola; l'altra deve indovinare la parola scritta sul cartellino. Seguite le indicazioni e guardate i disegni di esempio.**

MATERIALE A P. 128

PER INIZIARE La squadra che ha il cartellino disegna una riga tratteggiata, con un tratto per ogni lettera della parola, in modo che la squadra avversaria sappia di quante lettere è fatta. Di fianco disegna anche il patibolo dell'impiccato.

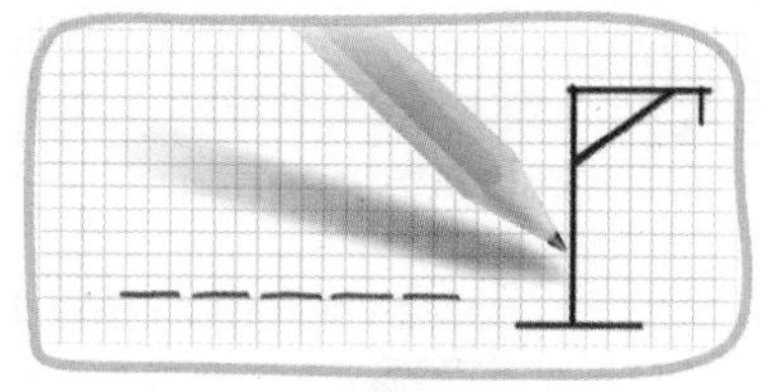

SVOLGIMENTO Il gioco procede a turni: la squadra che deve indovinare pronuncia una lettera che ritiene sia contenuta nella parola. L'altra squadra verifica se la lettera è presente nella parola: se lo è, scrive la lettera sul tratto della riga corrispondente; se non lo è, disegna il primo tratto dell'impiccato. La squadra che deve indovinare la parola si impegna a riuscirci prima che il disegno dell'impiccato sia completato (testa, torso, braccio sinistro, braccio destro, gamba sinistra, gamba destra), altrimenti perde.

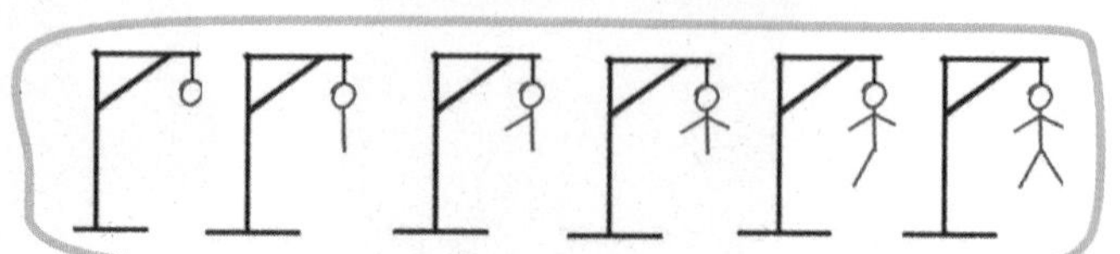

Lo sai che...

CITTÀ SCARAMANTICHE L'Italia è la patria delle **superstizioni**, dei riti scaramantici e delle credenze: ci sono statue da toccare, mosaici da pestare, monete da lanciare.

Nel Mercato nuovo di Firenze si trova la fontana con la **statua del porcellino**. Per avere fortuna e prosperità bisogna strofinare il naso del porcellino e poi mettergli una moneta in bocca: se la moneta, cadendo, oltrepassa la grata dello scarico della fontana, allora la buona sorte è in arrivo.

Al centro della Galleria Vittorio Emanuele II di Milano c'è un **toro**: la leggenda vuole che porti fortuna mettere il tallone del piede destro sui genitali dell'animale, chiudere gli occhi e compiere un giro su se stessi.

Lanciare una moneta con la mano destra sopra la spalla sinistra nella **Fontana di Trevi** porta fortuna: la tradizione è nata dal film *Tre soldi nella fontana* del 1954. A seconda di quante monete sono lanciate nella fontana, il destino è condizionato in modo diverso: con una moneta si farà ritorno a Roma, con due si troverà l'amore, con tre ci si sposerà a Roma.

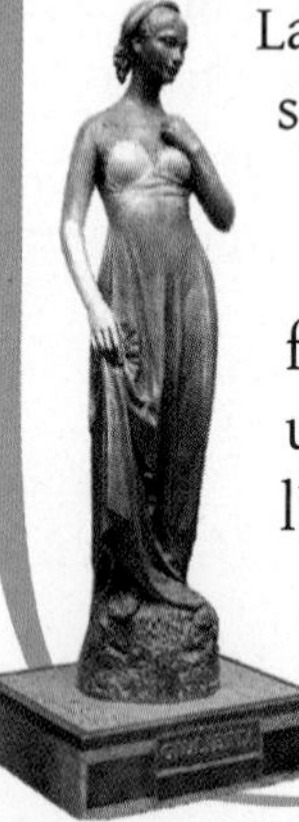

A Verona, per essere baciati dalla fortuna, bisogna appoggiare una mano sul seno destro della **statua di Giulietta**.

CARTELLINI RITAGLIABILI p. 11 es. 6

Esci di casa
e saluti tua madre.

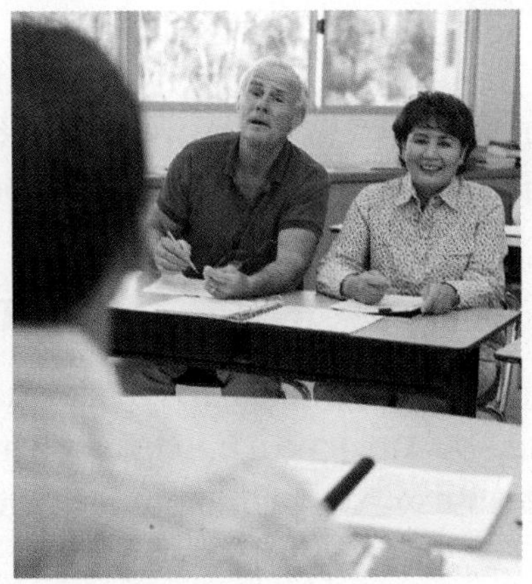

Inizia la lezione e saluti
l'insegnante di italiano.

Incontri un'amica
per strada.

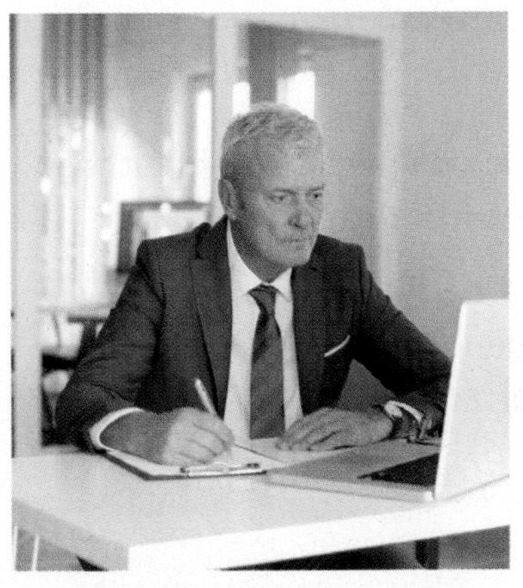

È il tuo primo giorno di
lavoro e saluti il tuo capo.

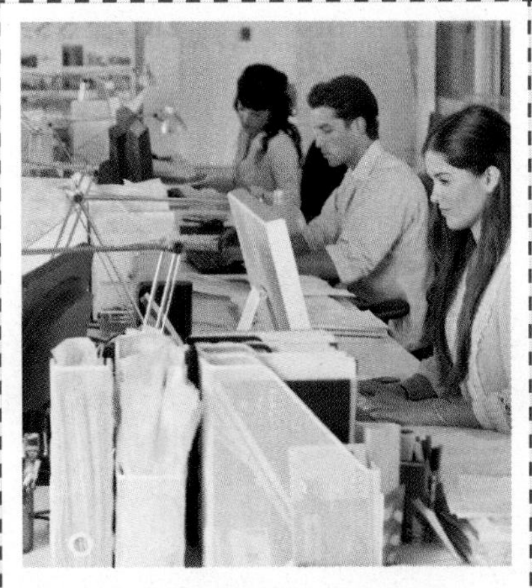

Saluti un nuovo
collega al lavoro.

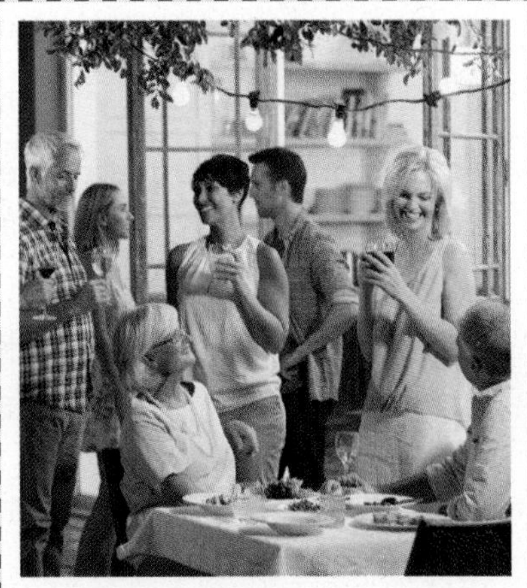

A una festa conosci
gli amici di un amico.

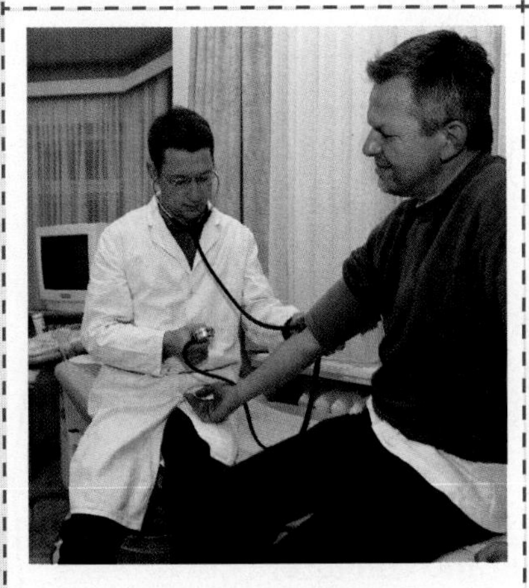

Finisci la visita dal
dottore, che cosa dici?

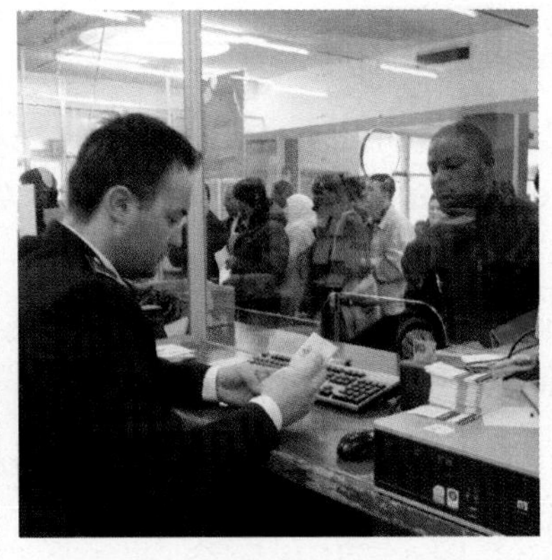

Sei in questura per il
permesso di soggiorno,
saluti l'impiegato.

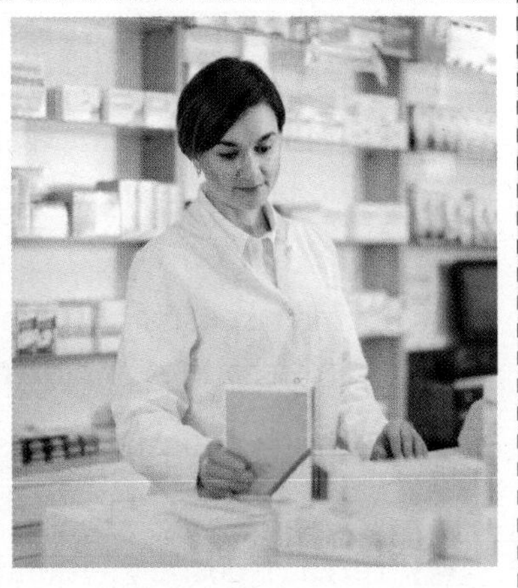

Entri in farmacia,
saluti la farmacista.

TESTO SEMPLIFICATO p. 13 es. 3

Salutarsi in italiano

Il saluto informale **ciao** si usa all'inizio e alla fine di un incontro fra persone che si danno del "tu": è amichevole e facile da pronunciare con un sorriso. Si può usare anche in contesti più formali: ad esempio, la commessa di un negozio, anche se non ci conosce, ci può dire **ciao, dimmi.**

Ciao ciao è un saluto più personale; è possibile usare anche **Ciao ciao ciao.**

Buongiorno e **buonasera** si usano sia quando si arriva sia quando si va via. **Buongiorno** si usa al mattino. Il passaggio da **buongiorno** a **buonasera** varia a seconda della Regione: in Toscana si saluta con **buonasera** già dal primo pomeriggio; in Sardegna si dice **buonasera** già dopo pranzo.

Per congedarsi si usano anche **buona giornata** e **buona serata.**

Salve è un saluto neutro: si usa all'inizio di un incontro quando non siamo sicuri se la situazione è formale o informale.

Si dice **buonanotte** la sera tardi e prima di andare a letto.

Addio non è molto frequente: è usato solamente quando si vede una persona per l'ultima volta; in Toscana però, soprattutto tra persone anziane, si usa ancora al posto di **arrivederci.**

Arrivederci è una formula di saluto conclusiva e informale (meno formale di **arrivederLa**); dopo **arrivederci** si può anche dire **a presto**; formule simili sono: **ci vediamo** e **ci sentiamo.**

repubblica.it

TESTO SEMPLIFICATO p. 30 es. 2

La colazione al bar in Italia

A In Italia la colazione è al bar con brioche e caffè o un cappuccino. Perché dopo la colazione al bar le persone sono sempre felici? Ci sono molte risposte.

B Prima risposta: gli italiani non vanno subito al lavoro, ma si fermano al bar che preferiscono prima di iniziare la giornata.

C Seconda risposta: i baristi di solito sorridono e scherzano, ma sono rapidi a servire. Agli italiani non piace aspettare!

D Terza risposta: gli italiani incontrano persone e chiacchierano con loro.

E Quarta risposta: di solito il barista parla con il cliente.

IL MANIFESTO DELLE REGOLE DELLA TAVOLA NEL MONDO p. 41 es. 4

Come si sta a tavola nel vostro Paese? Fate le attività.

a **Nelle regole della tavola del vostro Paese ci sono molte differenze con l'Italia? Preparate un breve manifesto per descriverle.**

Le regole a tavola

....

....

....

....

....

....

....

....

....

b **Presentate il vostro manifesto alla classe.**

CARTELLINI RITAGLIABILI p. 50 es. 5

CARTELLINI RITAGLIABILI p. 50 es. 5

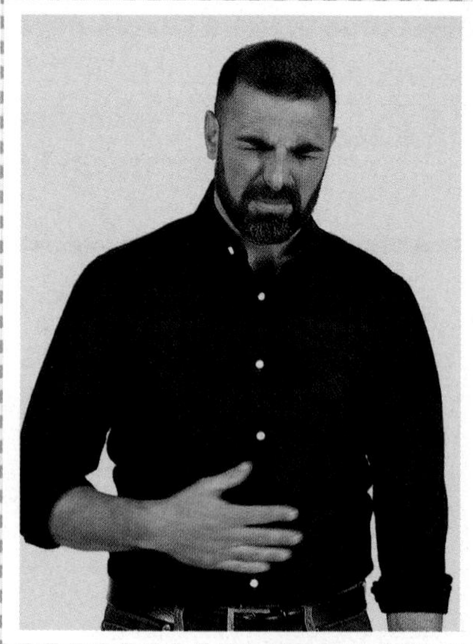

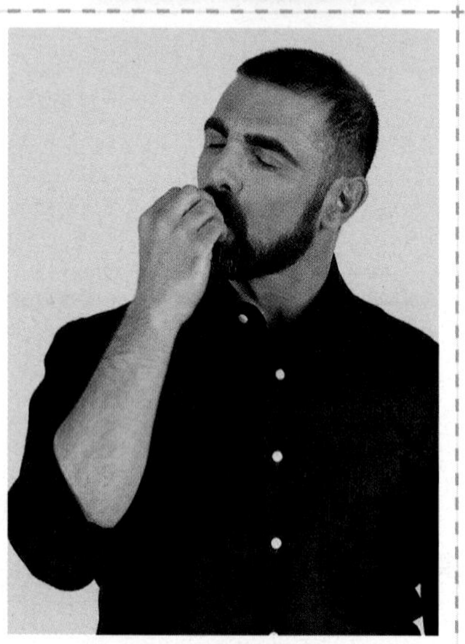

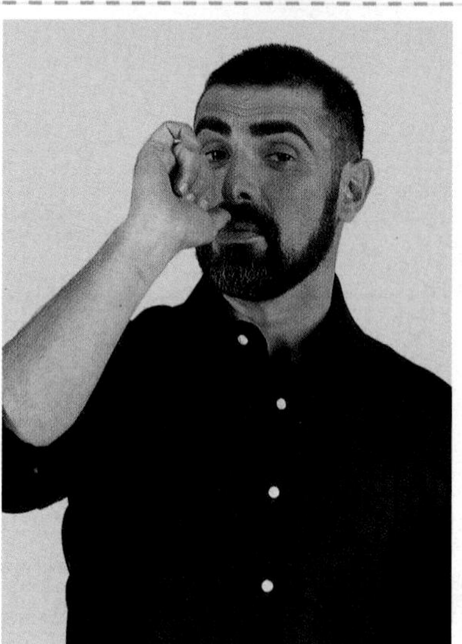

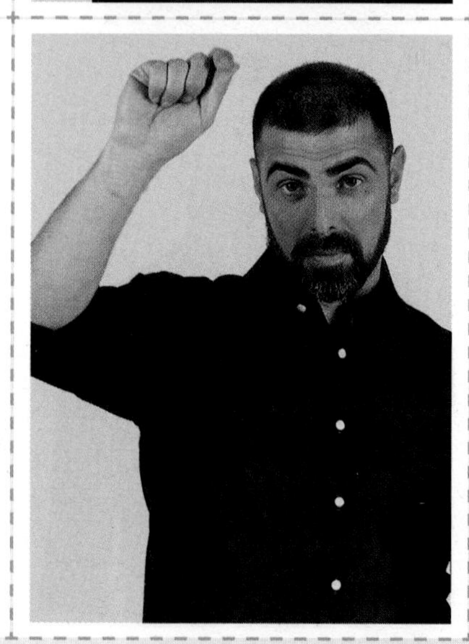

 p. 53 es. 3

1. Le donne

È meglio usare vestiti leggeri (ad esempio di cotone), più larghi e di colori chiari, come il bianco.

La camicia

È molto lunga e si può usare con i pantaloni o con la gonna.

La gonna lunga

Si può portare con una canotta o con una maglietta.

I vestiti

Possono essere di diversi colori e modelli. Di solito si usano con i sandali.

iodonna.it

2. Gli uomini

A volte in estate gli uomini usano dei vestiti che non vanno bene al lavoro o nel tempo libero.

I sandali

Per gli uomini è meglio non indossare questo tipo di scarpe perché sono poco eleganti, soprattutto quando sono usati con i calzini lunghi.

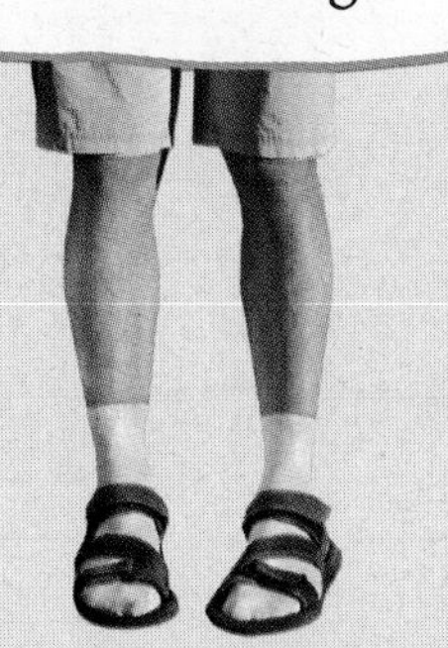

I pantaloni corti

Sono poco eleganti al lavoro, anche su usati con una camicia o una cravatta.

Le scarpe da ginnastica

Meglio usare queste scarpe solo quando si fa sport. Sono sconsigliate se usiamo giacca e pantaloni eleganti.

huffingtonpost.it

CARTELLINI RITAGLIABILI p. 59 es. 5

Ok!	Non mi convince!	Perfetto!
Che schifo!	Che bello!	Che noia!
Non mi piace per niente!	Come sono contento!	Tu sei proprio pazzo!

CARTELLINI RITAGLIABILI p. 63 es. 7

Chiara Baschetti

Bianca Balti

Mariacarla Boscono

Samuele Riva

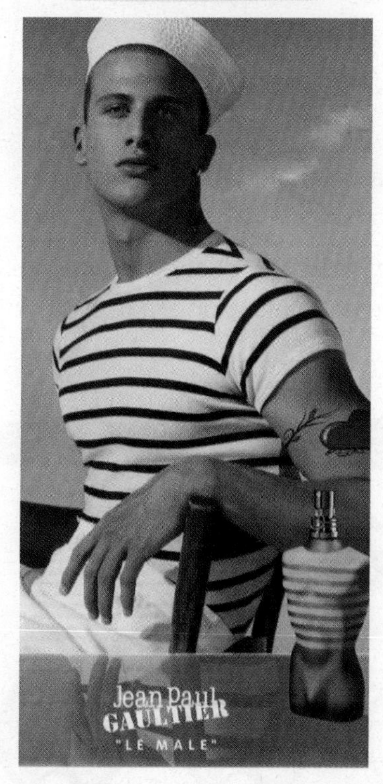

Mariano Di Vaio

Simone Nobili

ATTIVITÀ SEMPLIFICATA p. 76 es. 7

Completa le affermazioni (✓).

1. L'italiano è alto mediamente
   - centossessantacinque centimetri. ☐
   - centosettantacinque centimetri. ☐
   - un metro e ottanta. ☐
2. L'italiana è alta mediamente
   - un metro e sessantadue. ☐
   - un metro e settantadue. ☐
   - centosettandue centimetri. ☐
3. Mediamente gli italiani sono più alti
   - al Nord. ☐
   - al Nord e al Centro. ☐
   - al Centro e al Sud. ☐

TESTO SEMPLIFICATO p. 79 es. 2

Nel passato, in Italia c'era solo la famiglia tradizionale formata da padre, madre e figli. Oggi, invece, ci sono sia famiglie tradizionali sia famiglie non tradizionali.
Le famiglie non tradizionali sono:
1. marito e moglie senza figli;
2. monogenitoriali, cioè con solo un genitore;
3. coppie non sposate;
4. coppie formate da due uomini o da due donne;
5. allargate, cioè coppie che si sono separate e poi hanno formato nuove famiglie con altre persone.

Nel tempo, come la famiglia, anche la pubblicità è cambiata. Oggi nelle pubblicità italiane si vedono tanti tipi di famiglie diverse, quella tradizionale ma anche quelle non tradizionali.

MONETE RITAGLIABILI p. 81 es. 6

Parole vietate:

OMBRELLO
APRIRE
CHIUDERE

Parole vietate:

SALE
SALIERA
ROVESCIARE

Parole vietate:

CAPPELLO
LETTO
ATTACCAPANNI

Parole vietate:

CAVALLO
FERRO
TOCCARE

Parole vietate:

VENTILATORE
ACCENDERE
STANZA

Parole vietate:

FINESTRA
OBLIQUO
STREGA

Parole vietate:

FORBICI
LAME
CUSCINO

Parole vietate:

LEGNO
TOCCARE
SFORTUNA

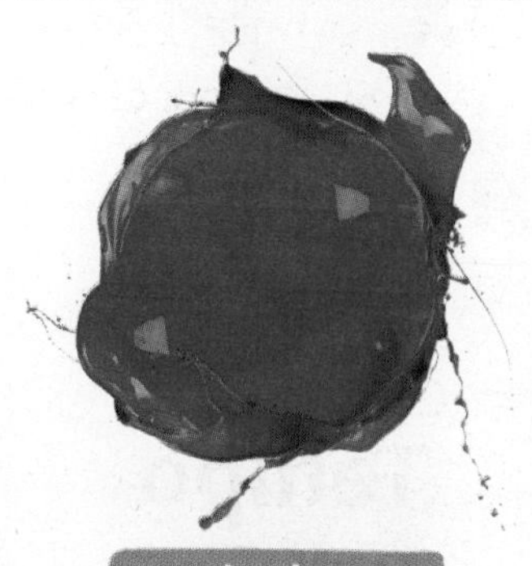

Parole vietate:

ROSSO
TOCCARE
COLORE

ITALIA DEL NORD O DEL SUD?

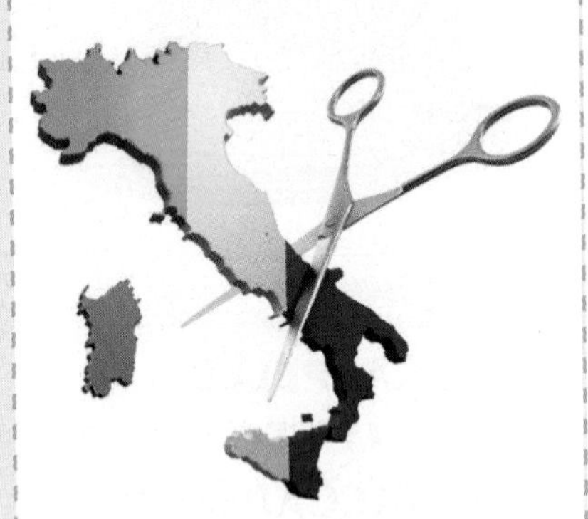

Cibo

- OLIO
- PECORA
- LIMONCELLO

ITALIA DEL NORD O DEL SUD?

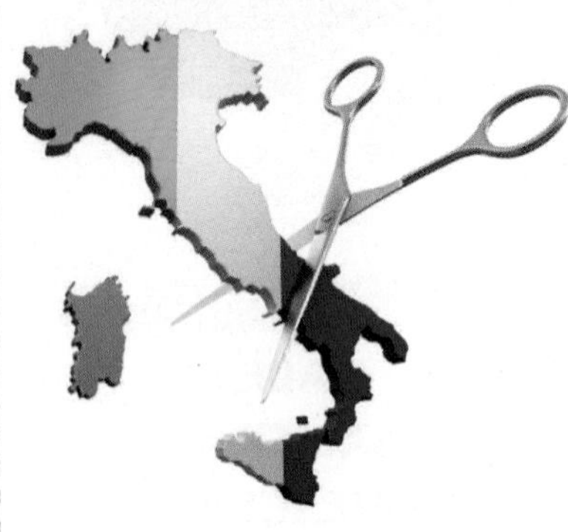

Cibo

- BURRO
- MAIALE
- GRAPPA

ITALIA DEL NORD O DEL SUD?

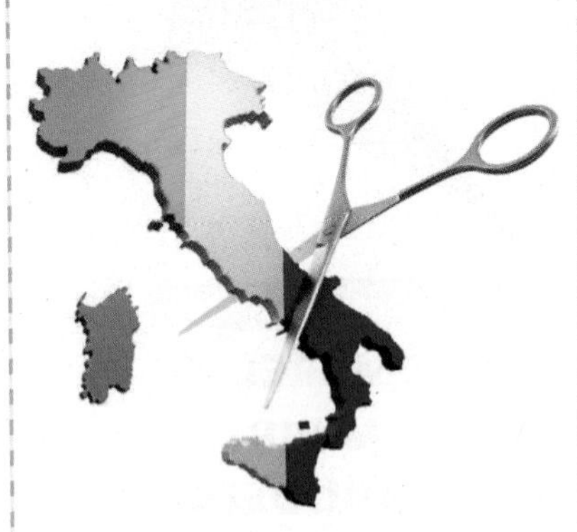

Tempo

- POCO
- FRETTA
- PUNTUALITÀ

ITALIA DEL NORD O DEL SUD?

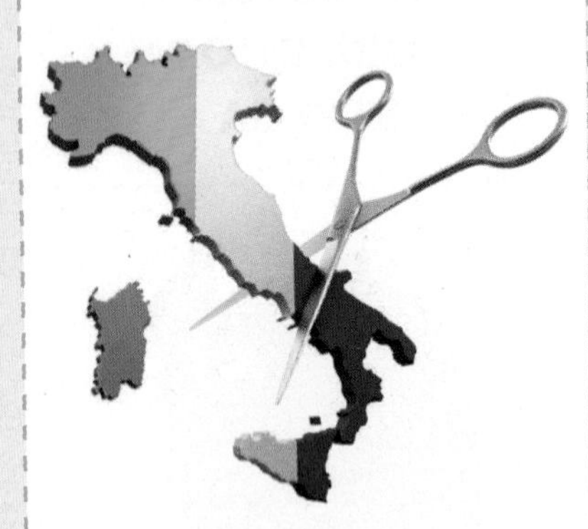

Tempo

- MOLTO
- TRANQUILLITÀ
- APPROSSIMATIVO

ITALIA DEL NORD O DEL SUD?

Religione

- DEBOLE
- INDIVIDUALITÀ
- SOBRIA

ITALIA DEL NORD O DEL SUD?

Religione

- FORTE
- COLLETTIVITÀ
- SFARZOSA

ITALIA DEL NORD O DEL SUD?

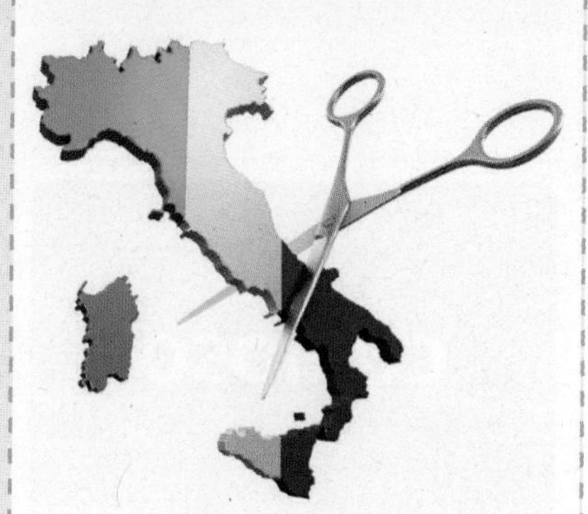

Lavoro

- POCO
- RELAX
- EMIGRAZIONE

ITALIA DEL NORD O DEL SUD?

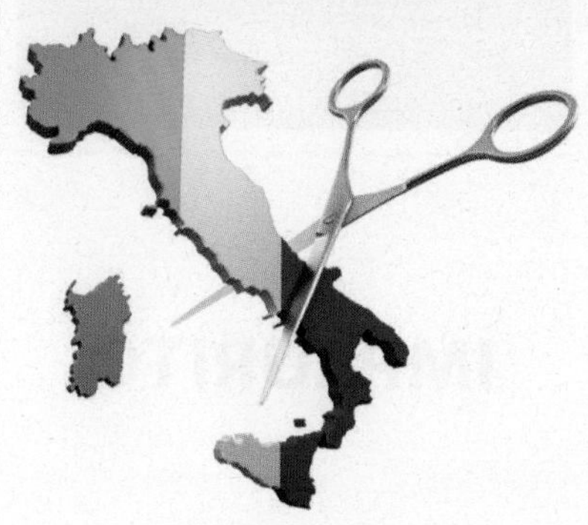

Lavoro

- MOLTO
- STRESS
- IMMIGRAZIONE

ITALIA DEL NORD O DEL SUD?

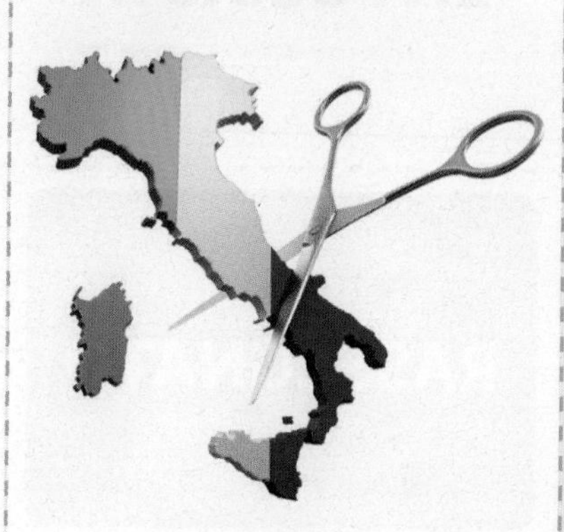

Clima

- SOLE
- MARE
- CALDO

ITALIA DEL NORD O DEL SUD?

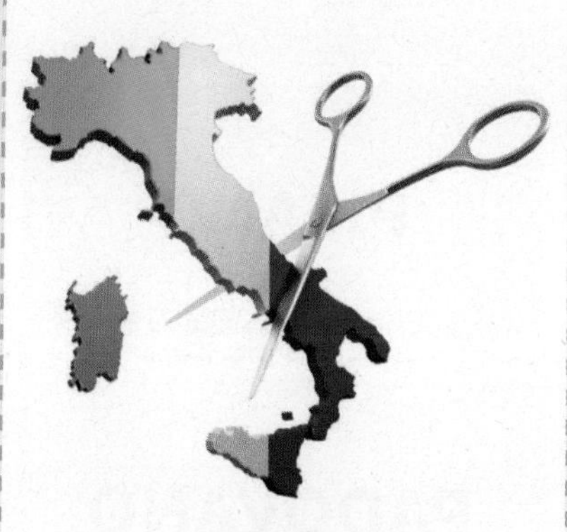

Clima

- PIOGGIA
- MONTAGNA
- FREDDO

ITALIA DEL NORD O DEL SUD?

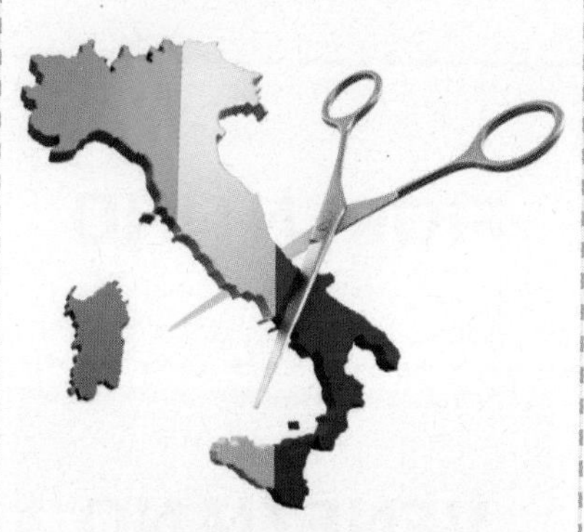

Famiglia

- PICCOLA
- SEPARATA
- RISERVATA

ITALIA DEL NORD O DEL SUD?

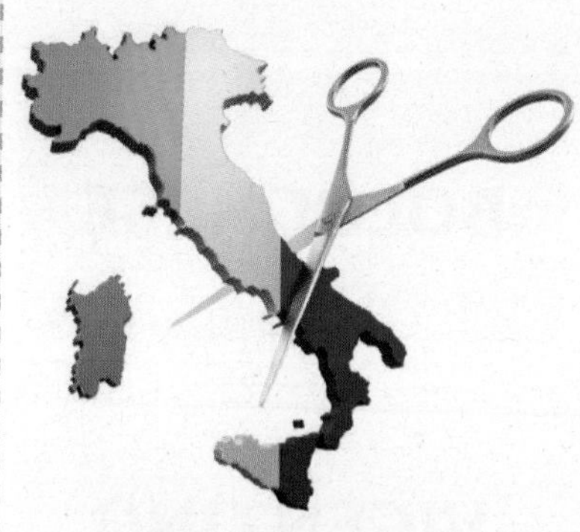

Famiglia

- NUMEROSA
- UNITA
- ESUBERANTE

CARTELLINI RITAGLIABILI p. 94 es. 6

ENTUSIASTA	INDIFFERENTE	ARRABBIATO
RASSEGNATO	IMPAURITO	CURIOSO
DUBBIOSO	ARROGANTE	NOSTALGICO

CARTELLINI RITAGLIABILI p. 116 es. 4

BOLOGNESE	FIORENTINO	PISANO
VICENTINO	VENEZIANO	PADOVANO
VERONESE	TORINESE	PALERMITANO